問い続けろ

突き抜ける

まで

問い続けろ

突き抜ける

蛯谷 敏
Satoshi Ebitani
ダイヤモンド社

まで

問い続けろ

突き抜ける

まで

巨大スタートアップ「ビジョナル」
挫折と奮闘、成長の軌跡

蛯谷 敏
Satoshi Ebitani
ダイヤモンド社

巨大スタートアップ「ビジョナル」
挫折と奮闘、成長の軌跡

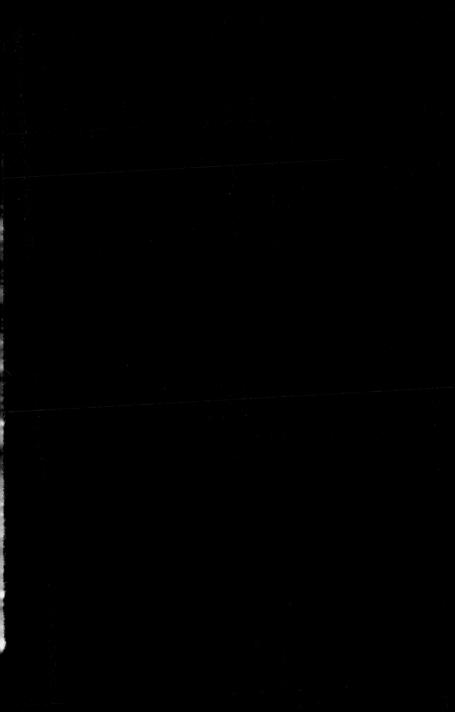

まえがき

　何かを変え、新しい常識を打ち立てる人物は、自分の中に明確な問題意識を持っている。既存の枠組みにとらわれない柔軟な発想で物事を捉えることができる。どんなに困難な状況に陥っても、簡単には屈しない。

　自分の設定した課題が、世界を前に進める原動力になると信じているからだ。


　世界屈指の起業家として知られるイーロン・マスク。

　ＥＶ（電気自動車）のテスラ、宇宙船開発のスペースＸ……。耳目を集める事業の数々はすべて、ある一つの問いが起点になっている。

「危機に瀕した人類と地球を、いかにして救うか」

　化石燃料に依存した社会はいずれ行き詰まり、地球はやがて絶滅の危機に瀕するだろう。その前に、火星への移住に道筋をつける必要がある――。

　まるでＳＦ小説のような構想を掲げ、インターネット、宇宙、再生可能エネルギーの３分野で事業を起こした。

　壮大な課題の解決に突き進むマスクの事業構想は、従来の常識と掛け離れている。

それゆえ、多くの軋轢《あつれき》も生んでいる。どの業界でも当初、マスクは「新参者のアイデアが実現できるほど甘くない」と批判された。実際、彼の計画は何度も頓挫の危機に瀕し、事業が破綻の淵に追い詰められたことも一度や二度ではない。失敗のたびに、メディアは猛烈なバッシングを浴びせた。

しかし、どんなに逆境に陥っても、マスクはあきらめなかった。自分の掲げた課題を解決することが価値のあることだと心から信じているからだ。

「従来の常識を打ち破らなければ、革新は生まれない」

マスクはそう繰り返し、行動し続けた。

２０２１年の第１四半期、世界的な環境規制の機運の高まりを追い風に、テスラは過去最高の販売実績を記録した。スペースＸは２０２１年春までに3度の有人宇宙船の打ち上げに成功し、日本人飛行士の野口聡一や星出彰彦らを、国際宇宙センターに無事に送り届けた。

「このままいけば、マスクは本当に人類を火星に送り届ける筋道をつけるかもしれない」。世界が本気でそう思い始めている。

そんなマスクの姿を思い出したのは、同じように問いを立てることを突破口に新事業を次々と立ち上げる起業家に出会ったからだ。企業経営を長らく取材してきた編集記者として、「課題発見」をテーマに彼の本を書いてみたいという衝動に駆られた。

日本の働き方に立てた壮大な問い

「上場はスタートラインに過ぎない。解決したい課題はまだまだいくつもある」

声の主は、Visional（ビジョナル）社長の南壮一郎。今年45歳を迎えた若き起業家である。がっしりとした体躯に鋭い眼光。相手をじっくり見据える眼差しの強さが印象的だ。

２０２１年４月22日。創業から12年を過ぎたこの日、ビジョナルは東京証券取引所マザーズ市場へのＩＰＯ（新規株式公開）を果たした。

ビジョナルという名を知らなくとも、「ビズリーチ」というサービスを聞いたことがある人は多いはずだ。

仕事を探す求職者の職務経歴書を蓄積した巨大なオンライン・データベースを運用し、人材を探す企業や人材紹介会社に有料で提供する転職マッチング・プラットフォームが同社の中核事業だ。

２００９年４月に創業し、それまでは求人広告や人材紹介会社を利用するしか選択肢のなかった中途採用の世界を、ビズリーチはガラリと変えた。

インターネットを利用した従来にないビジネスモデルで転職市場に新たな風穴を開け、「企業の人材探し」と「求職者の仕事探し」の選択肢を大きく広げた。

このサービスが誕生するきっかけとなったのは、南が立てた次のような問いだ。

「働き方の選択肢と可能性を広げるには、どうすればいいのか」

日本の雇用環境は、この20年で大きく変化した。少子高齢化によって人材不足は今後さらに深刻化するだろう。一方で、インターネットの技術革新は産業の境界線を消滅させ、ビジネスモデルの〝賞味期限〟はどんどん短期化している。

あらゆる企業が能力のある人材を機動的に採用し、柔軟に戦略と事業を変える必要に迫られている。

ところが、多くの日本企業は変化に対応する準備ができていない。このままでは、硬直した制度と組織によって、事業環境の変化に対応できなくなるだろう。

社員のスキルと知識は陳腐化し、企業の競争力は落ちる。割を食うのは社員だ。

状況を打開するには、社員と企業がそれぞれ、働き方の価値観を変える必要がある。その手段が、求職者と企業がオンライン上で直接つながることのできる「ビズリーチ」だった。

２００９年のサービス開始から12年が経ち、南の立てた「問い」は、ようやく日本全体の社会課題として認識され、働き方を変えようという機運が高まっている。

２０２１年１月末時点で、ビズリーチ上で企業が直接、声を掛けることのできる会員数は１２３万人以上、累積導入企業は１万５５００社以上。企業と個人、双方の後押しを受け、ビズリーチ事業は２０２０年７月期に売上高２０９億円を記録した。

次々と事業を立ち上げる原動力

ただし、南はビズリーチという事業だけに固執する気はない。

「どんどん新しいことを仕掛けていきたい。変わり続けることでしか生き残れないから」

取材では繰り返しこう語り、ビズリーチという事業が南の描く構想にとって、始まりに過ぎないことを、再三再四強調した。

事実、ビズリーチは南がこれまで立ち上げてきたいくつかの事業の一つに過ぎない。

彼はビズリーチ創業後も、ほぼ2年に1度のペースで新事業を生み出してきた。その詳細は本編に譲るが、その立ち上げを加速させるためにも、創業メンバーである竹内真（現ビジョナルCTO＝最高技術責任者）、永田信（現ビジョナル・インキュベーション社長）らと共に、成長途上だったビズリーチ事業の経営から退く決断を下して、周囲を驚かせた。

それ以降、人材活用プラットフォーム「HRMOS（ハーモス）」、事業承継M&A（合併・買収）プラットフォーム「ビズリーチ・サクシード」といった新事業を続々と生んでいった。

一般に、ビジョナリーと呼ばれる起業家の多くは、一つの壮大な問いを立て、それを実現させるためにビジョンを掲げ、強烈なリーダーシップで人と組織を率いていく。

従って、一度事業を立ち上げたらその事業にこだわり続ける。多くの場合、その執着はすさまじく、簡単には後継者に移譲しない。

冒頭のマスクが典型だが、それ以外にも日本では、ソフトバンクグループ会長の孫正義やファーストリテイリング会長の柳井正らが該当する。

ところが、南はそういったタイプの経営者とは一線を画す。苦労して立ち上げた事業に愛着を持っているのは間違いないが、それに固執することなく、淡々とバトンを後継の経営者に託し、自らは新しい事業に移っていく。

なぜなら、南は新しい事業を立ち上げる問いを見つけることに、経営者として最高の喜びを感じているからだ。

南の立ち上げた事業はいずれも、その時々の経済情勢や技術の変化に対する自分の問題意識が起点になっている。言い換えれば、「社会の課題を解決するには何をすべきか」をあらゆる角度から、常に探し続けている。

南の問いを立てる力は、今後多くのビジネスパーソンにとって必須のスキルとなるはずだ。

これまでの社会で求められたのは、目の前にある課題を早く、正確に解決する人材だった。ところが、社会の成熟や技術の進化によって、今では課題そのものが分からないということも少なくない。VUCA（変動性、不確実性、複雑性、曖昧性）と呼ばれる予測不能な時代、目の前にある課題の解決力以上に、未知の課題を見つける力の重要性に注目が集まっている。

そんな時代において、南の課題発見の姿勢やプロセスは、とても興味深いものに映る。常に問いを立てることにこだわり、次々と新事業を立ち上げる経営者は、どんな思考をしているのか。卓抜した起業家の問いの立て方を知りたいという興味も、筆者を取材へと駆り立てた。

従って、本書は筆者と同じような課題意識を持つ、次のような読者に役立つはずだ。

・新事業を立ち上げようと考えている起業家や起業家の卵たち
・課題発見の具体的な方法を知りたい人
・人生を主体的に生き、主体的に働きたいと考える人
・急成長を続けるスタートアップの物語を楽しみたい人

課題解決より課題発見

「重要なことは正しい答えを見つけることではない。正しい問いを探すことである」

経営学者ピーター・ドラッカーの言葉にもある通り、課題を見つけ出す力の重要性は、決して新しいテーマではない。

米ハーバード大学教授のクレイトン・クリステンセンの有名な著書『イノベーションのジレンマ』は未知の問いに対する壮大な考察だし、近年注目を集める米スタンフォード大学教授チャールズ・オライリーらの『両利きの経営』もまた、既存事業と新事業という異なる問いをどう両立させるかを主題に据えている。

もっとも、これらの書物を読むにつけ、物足りなさを感じていたのも事実である。実際の経営者は数多くある課題の中から、どうやって自分が取り組むべき課題を見いだしてきたのか。それを解決するために、どのようなプロセスを辿ってきたのか。リアルな経営者の体験を通して、その本質に迫りたいと思っていた。

その点で本書は、南をはじめとしたビジョナル関係者の課題発見に迫った、生きたケーススタディだと言える。

南らの歩みを振り返ることは、これから事業を立ち上げようとしている起業家だけでなく、これらの生き方を模索する多くのビジネスパーソンなど、「問いを立てる力」を磨きたいあらゆる人々にとって大きなヒントになるはずだ。

自らの生き方を見つけるヒントに

問いを立てる力を持つ人は常にそれを自問する。そして行動し続けていく。

「100年続く会社よりも、100回変わる会社でいたい」

南がインタビューで頻繁に引き合いに出すのは、先輩経営者として慕うZホールディングス社長の川邊健太郎との対談で聞いたこの言葉だ。

南は、課題発見の方法をすべて自分で編み出していったわけではない。

川邊のほか、サイバーエージェント社長の藤田晋、カルチュア・コンビニエンス・クラブ創業者の増田宗昭など、様々な経営者との交流によって課題発見力を磨いてきた。

中でも大きな影響を受けたのが、楽天イーグルス時代に薫陶《くんとう》を受けた楽天グループ代表の三木谷浩史、USEN-NEXTホールディングス副社長の島田亨、ヤフーCOO（最高執行責任者）の小澤隆生だ。

本書では3人にも取材し、南の問い抜く力に多大な影響を与えた彼らの考え方についても盛り込んでいる。

三木谷ら、日本のネット黎明期を牽引してきた経営者の実践理論が次世代に影響を与えているということは、この業界を長く取材してきた筆者にとっても興味深い。

ポスト楽天・ポストヤフー世代と目される経営者の一人である南。本書では、彼の姿を通して、次代を担うリーダーの条件とは何かという疑問にも、一つの答えを出している。

読者のみなさんが本書を通して、自らの問いを見つけ出すことができるようになれば、それに勝る喜びはない。

登場する人物は、まえがきを含めて敬称略とした。肩書は2021年5月時点のものだ。

さあ、あなたの「問い」を探す旅に出かけよう。

目次

第三章

ビズリーチ創業

門外漢だから見えた勝機

プロの経営人材を集める／「予想を覆す結果を残せ」／小澤隆生「課題のセンターピンを探せ」／世界の成功事例から学び尽くす／赤字常態化の要因を突き止めた／事業構造を調べ抜く／「本当の顧客」は誰か／「ゲームのルールを変えろ」／まずは70点を目指す／島田亨「理念で組織のベクトルを合わせる」／お手本はディズニーランド／三木谷浩史「それは世界を変える問いか」／「なぜ、この課題がまだ存在しているんだ」／門外漢でも、世界を変えられる

トリガーを引く——転職市場に抱いた疑問／海外セミナーで見つけた鉱脈／「草ベンチャー」仲間のアドバイス／「全員、言うことが違った」／転職活動で抱いた疑問／「これが課題を見つけ出す感覚か」／ヘッドハンターが生まれた理由／転職業界がブラックボックス化する必然／ラダーズというお手本／センターピンを見つける——企業が求職者を直接採用する／打ち出し角度を決める——即戦力人材に絞り

第四章

論理と勝ちグセのある組織をつくる

人の意識に働きかけろ

第一章

巨大スタートアップ上場

変化こそ存続の条件

２０２１年4月22日午前。春の陽気に包まれた東京・大手町の上空は、雲一つない青空が広がっていた。

日本を代表する大企業の本社が集積するオフィス街の中でも東寄り、東京駅にほど近い大手町二丁目。その一角に、野村證券が本社を構えるアーバンネット大手町ビルがある。

午前8時45分。

同社のトレーディングルームに隣接する4階会議室で、この日、株式上場を迎える企業トップによる前代未聞のライブ中継が始まった。


「おはようございます。みなさん、ちゃんと起きていますか」


落ち着いた声で、男はカメラに向かって語り始めた。

目線の先にあるのは、パソコンやスマートフォンで中継を見ているであろう仲間たちだ。

「本日、ビジョナル株式会社は、東京証券取引所マザーズ市場に株式を上場します。午前9

時、我々の株式がいよいよ公開されます」

「節目となるこの瞬間をどう迎えるのか。僕は、一緒に会社をつくってきた仲間と迎えたいと思っていました。経営陣だけでとか、一人でとか、偉い人に囲まれてとか、そういうことではなく、ここまで共に歩んできたみんなと歴史を刻みたい。だから、この瞬間を生中継することにしました」

そう言うと、いたずらっぽい笑みを浮かべた。

「創業して今日が12年と1週目。僕は今、会社としてようやくスタートラインに立てたという思いです。あと10分くらいで上場するけど、最高の仲間と一緒に、笑顔で、この節目を味わいたいと思います。これからも、価値があることを正しくやり、変わり続けるために、学び続けていきましょう。イッツ、ショータイム！」

そう言うと、その男、南壮一郎はカメラクルーを率いて、野村證券のトレーディングルームに消えていった。

数分後。

モニターにはビジョナルの証券コード「４１９４」が映し出され、株式取引が始まった。この瞬間、ビジョナルは正式に東京証券取引所マザーズ市場への株式上場を果たした。

野村證券の関係者らとねぎらいの握手を交わし、安堵の表情を浮かべながらも、南の視線は、次の事業展開を見据えていた。

これからが本当の勝負だ——。

転職市場に与えたインパクト

上場初日、ビジョナルに付いた初値は7150円。終値は7000円と、公募の売り出し価格5000円を4割上回った。

上場初日の時価総額は2400億円超に達し、マザーズ市場の時価総額ランキングでは、いきなり上位に食い込んだ。メルカリ、クラウド会計ソフトのフリーとマネーフォワード、医療データ分析のJMDCに続いて、5位にランクインしたのだ。

久々の大型銘柄と注目を浴びたビジョナルの上場劇は、市場の期待に違わぬ結果で初日を終えた。

話題を振りまいたのは金融市場だけではない。ビジョナルは、昨今の日本のスタートアップの中でも、もっとも勢いのある会社の一つである。

中核事業のビズリーチは12年の歳月をかけて、日本の転職市場に「ダイレクトリクルーティング」という新しい採用手法を確立した。これまで、即戦力人材を採用するには人材紹介会社を活用するくらいしか、事実上の選択肢がなかった。そんな市場に、企業が直接、求職者に声を掛けて採用するという新しい発想を持ち込んで成長を続けている。

2021年1月時点で、ビズリーチに登録する求職者（企業がスカウト可能な会員）の数は実に123万人以上。ヘッドハンターの利用者は4600人以上、導入企業数は累計で1万5500社超に達している。

女優の吉谷彩子が人差し指を立てて「ビズリーチ！」と連呼するテレビCMの影響もあり、サービスは全国的に知られるようになった。企業の中途採用を任う人事担当者（関東エリア）に限定すれば、ビズリーチの認知度は9割以上にも達する。

「働き方改革」「人生100年時代」といった日本社会の変化を追い風に、ビジネスパーソンの転職へのハードルは一気に下がり、ビズリーチの利用者も、年々拡大している。

現在は、即戦力人材向けの「ビズリーチ」のほか、若年世代向けに「キャリトレ」、大学生向けのOB、OG訪問ネットワークサービス「ビズリーチ・キャンパス」など、年代や目的に合わせて、複数の採用プラットフォームを展開している。

2016年には「HRMOS（ハーモス）」というブランドで企業の人材活用の分野にも進出した。社員データベースや人事評価、組織診断などの必要な機能をクラウドサービスとして提供し、クラウド経由でソフトを提供するSaaS（Software as a Service＝サース）事業も認知されつつある。国内の人事・総務の外注市場とソフトウェア市場が重なる、約1200億円のHR（人事）テック市場を開拓する足がかりをつくった。

ビジョナルが展開する事業は、人材領域に留まらない。最近では事業承継M&A（合併・買収）プラットフォームのほか、セキュリティや物流業界のデジタル化なども手掛けている。

ビズリーチの売上高と営業損益の推移

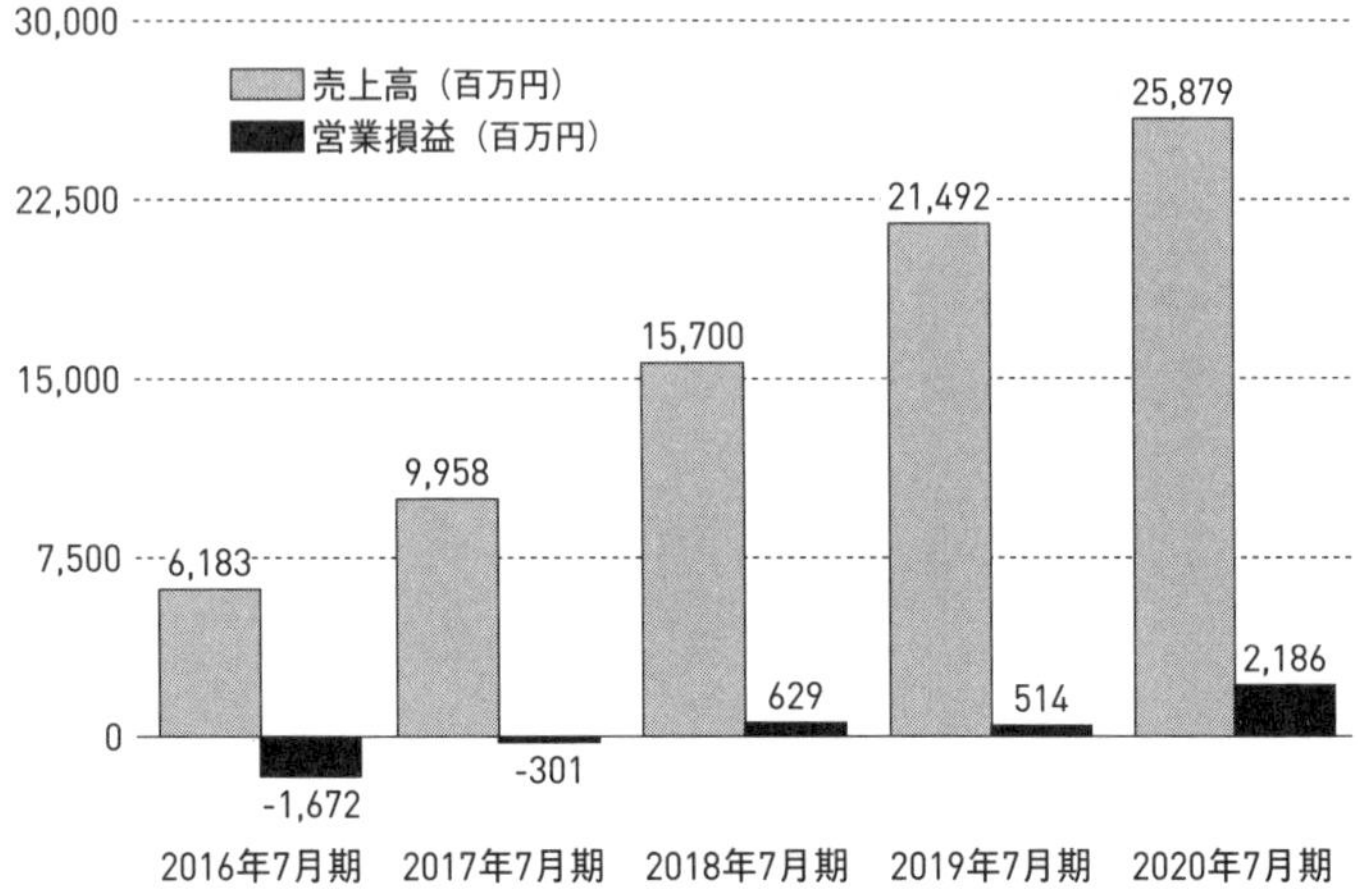

注）2016年7月期～2017年7月期はビズリーチの単体業績を、2018年7月期～2019年7月期はビズリーチの連結業績を、2020年7月期はビジョナルのグループ連結業績をグラフにした

幅広い事業会社を傘下に持つため、２０２０年2月、持ち株会社のビジョナルを中核としたグループ経営体制に移行した。ビジョナルの２０２０年7月期の連結売上高は２５８億７９００万円、営業利益は21億８６００万円。

　中核のビズリーチ事業の外部顧客に対する売上高は、同２０９億４５００万円で、前の期に比べて24・３％も増加している。

　事業体が異なるため一概に比較はできないが、創業時期が近く先行して上場し、マザーズ市場の時価総額ランキングで、ビジョナルと競い合うフリーの売上高69億円（２０２０年6月期）や、マネーフォワードの売上高１１３億円（２０２０年11月期）などと比べても、事業規模は頭一つ抜けた存在だ。

新事業立ち上げの名手

巨大スタートアップ、ビジョナルの創業者である南とは何者か。

その経営を間近で見てきた一人、ビズリーチ社長の多田洋祐に言わせると、「データ分析好きなビジネスモデルオタク」だという。

「彼は世の中の流れを見極めるのが得意。次はこんなものが流行るとか、今の世の中に必要なものを調べて持ってくる。それを自分なりに咀嚼《そしゃく》して、得意のフレームワークに落とし込んでしまう」

実際、南はその時々で「時代の流れが変わる」と感じたビジネスを冷静に見極めて勝負を仕掛けてきた。

ビジョナルの祖業であるビズリーチは人材サービスだが、南はそれまで人材業界で働いた経験はない。ビズリーチ創業後に立ち上げ、のちにＫＤＤＩに売却したＥＣ（電子商取引）サービス「ルクサ」も然《しか》り。現在、力を入れる運送会社と荷主のマッチング・プラットフォーム「トラボックス」も同様で、「その業界で働いていたから」という自分の経験や知見は、事業の立ち上げにほとんど影響を与えない。

その代わり、自分の中で構築した事業立ち上げの「成功パターン」を忠実に踏襲する。

「どんな業種やサービスであっても、自分の成功哲学に当てはめて考えていく。現場を訪れ、当事者にインタビューし、吟味した上でパターンにピタリとはまるものしか手掛けない。ここまでやり抜く起業家は見たことがない」とZベンチャーキャピタル代表の堀新一郎は言う。

その実績は、驚異的だ。

ECのルクサは、5年で社員200人規模の事業に育てた後でKDDIに売却。その後立ち上げた求人検索エンジン「スタンバイ」もヤフーなどを運営するZホールディングスとの合弁会社設立に伴い、株式の60%を譲渡した。

「10年ほどの間に、単体で上場できそうな事業を同時並行でいくつも立ち上げた起業家はなかなかいない」とベンチャーキャピタル、ワンキャピタル代表の浅田慎二は言う。

強烈なマイノリティ体験

南は1976年生まれ。同世代には、グリー社長の田中良和やマネーフォワード社長の辻庸介、Sansan社長の寺田親弘など、巷間注目される起業家が少なくない。その中で南の存在が異彩を放つ背景には、幼少期の体験が影響している。

南の父・九州男《くすお》の仕事の影響で、南は幼稚園から中学まで、家族と共にカナダで育った。

「子どもでも自立した一人の人間として扱う」という信念を持つ父は、正月には息子たちに正座をさせ、今年の「やりたいこと」「できること」「するべきこと」を書かせるような厳しさを持っていた。

現地の小学校に放り込まれると、学年の中でアジア人は南一人。そこで体験した強烈なマイノリティ（少数派）としての体験が南の考え方に大きな影響を与えている。

「常に集団の傍流で育った。だからこそ、主流にいる人は決して気づけない観察力、物事を客観的に捉える力を身に着けることができた」と南は自己分析する。

当時、仲間と違って1匹だけ体が真っ黒な魚が主人公の絵本『スイミー』を知り、いたく共感した。自分の正式なミドルネームにするほど気に入り、それ以降、現在に至るまで世界中の親しい人間は南を「スイミー」と呼んでいる。

中学で日本に帰国した南だが、大学では再び海外を目指した。

1995年に米タフツ大学に入学。卒業後は、投資銀行のモルガン・スタンレー証券に入社し、スポーツの世界で働きたいという夢を叶えるために、4年で金融の世界を去った。2004年にプロ野球球団、東北楽天ゴールデンイーグルスの立ち上げに参画する。

「楽天イーグルスでの経験がなかったら起業していなかった」と言う南は、その後、2009年にビズリーチを創業した。

「海外育ち」「金融」「プロ野球」「人材」「インターネット」という、普通なら掛け合わさることのなさそうな異質の経験を有していることが、同世代の起業家の中で南をユニークな存在たらしめているのは間違いない。

勝つまでやり続ける

そんな南が、なぜ、ビズリーチを創業するに至ったのか。そして南独自の事業立ち上げの成功哲学とは何か。

これらを紹介する前に、南の人柄について少し触れておこう。

「執念深さ」「手堅さ」「青くささ」——。

今回の取材で浮かび上がった南の性格を表現すると、この3つの言葉に集約できる。いずれも、「帰国子女で外資系投資銀行出身」というきらびやかなイメージの対極にあるような、人間くさい特徴だ。

「執念深さ」とはまず、何よりも負けず嫌いであること。

タフツ大学に入学したときのことだ。日本から米国に渡った南は、再びマイノリティの扱いを受ける。大学でクラスのスターになれるのは、勉強、スポーツ、課外活動で秀でる人間だけ。アジア人のマイノリティとしてクラスの末席からスタートして、どうすれば仲間に認められる存在になるのか。南は一生懸命考えた。

まず、スポーツでは中学・高校時代に部活で続けてきたサッカーに力を入れた。持ち前の勝負強さを発揮し、大学2年で一軍レギュラーの座を確保した。

日本に帰国してから止まっていた英語力を磨き直し、大学の授業にも死にものぐるいで食らいついた。結果、学年トップ5％の成績を修めて卒業している。

残る課外活動でも、全学年をまとめる立場になるという目的で、大学1年のときには学生評議会の委員に立候補した。学内の選挙では、当時大流行していたロックバンド、ニルヴァーナのアルバムジャケットを使い、すっ裸の赤ちゃんの顔の部分に、自分の顔写真を貼り付けた選挙ポスターを制作。ミドルネームのスイミーと掛け合わせて「スイミング・フォー・サクセス」というコピーで勝負した。

ほぼ意味不明の内容だったが、インパクトは抜群で、圧倒的な支持を集めて当選した。大学4年生になるころには、見事に周囲から認められる存在になっていたという。

「おみくじは大吉しか出ない」

「僕、おみくじを引いたら絶対に大吉しか出ないんですよ」

元日本マイクロソフト業務執行役員で、創業期からビズリーチを知る澤円《さわまどか》は、南が得意げに話す姿が忘れられない。

自分の運のよさを自慢しているのかと興味を持って理由を聞くと、「大吉が出るまでおみくじを引き続ける。だから大吉しか出ないんです」と言う。「そんな発想があるのか」と驚くと同時に、どこまでも前向きな南の発想に感心した。

南が経営の師と仰ぐ、楽天グループ代表の三木谷浩史はこう表現する。

「しつこい。とにかく結果が出るまでやり続ける。経営にアクセルとブレーキがあるとすると、僕も南も、ちょっとブレーキが壊れちゃってる（笑）」

三木谷も認める粘り強さを、南は持っている。この常人を超えたしつこさが、窮地に陥ったビズリーチを好転させ、転職市場を変える大きな原動力となった。

二つ目の手堅さ。「素《す》はビビりだ」と南本人も認めるように、性格は極めて慎重だ。何かを始めるときには徹底的に調べ抜き、リスクを洗い出し、絶対にいけると確信するまで決断は下さない。

ビズリーチ創業メンバーの竹内真が、「石橋を何度も叩き割って、事業化しなかったプロジェクトは一つや二つではない」と言うように、念には念を入れて物事を進めるのが南のやり方だ。言葉を換えれば、南が手掛ける事業は、本人が調べ抜いて確信を持ったサービス以外にあり得ない。

自分で手応えを感じるまで徹底的に調べ抜く。マネーフォワード社長の辻は、南が酒の席でおもむろに質問してきた内容を、今でも覚えている。

「マネーフォワードのＩＲ資料の〇ページにある内容、ぶっちゃけどういう意味なの？」

質問の詳細までは覚えていないが、「こいつは、そんなところまで読んでいるのか」と強烈に印象に残ったという。

ビズリーチ創業者ファンドから出資を受けたスタートアップ、レブコム代表の會田武史も、南の情報収集力に腰を抜かした。

會田は起業前、自分の事業構想を南に相談したことがある。音声とＡＩ（人工知能）を掛け合わせた事業領域を手掛けている海外の競合他社の一覧表を見せた。

すると南は、表に出ているスタートアップはおろか、そこから漏れていた誕生したばかりの競合の名前を次々と挙げていった。

「この分野を徹底的に調べていないと絶対に知らない名前ばかりだった。半端でない調査能力に驚いた」と會田は言う。

南の母親の恵美子によれば、子どものころから情報収集癖がすごかったという。「大リーグやアイスホッケーの選手のカードを集め、裏面の情報をすべて記憶して、よく一人で対戦ゲームをやっていた」。

最後の青くささは、まっすぐな性格そのものを表している。

ビズリーチで2番目の創業メンバーである佐藤和男によれば、南が社員向けのスピーチで涙を見せる場面は大抵決まっているそうだ。

「相手に感謝の気持ちを伝えるときにいつも感極まってしまう。彼らとの約束を思い出すのだろう」

事業計画の策定でも、「目先でいくら儲かるか」といった話にはほとんど興味を示さない。

「そんな話をすると、お前は世の中をどう変えたいんだと逆に質問攻めにされる」と言うのは、ビズリーチ副社長の酒井哲也だ。

「価値あることを、正しくやろう」というのが南の口癖であり、そのままビジョナルのバリューにもなっている。

「一度きりの人生、せっかく何かに取り組むなら、家族や友人、社員たちに『あってよかった』と思ってもらえるサービスをつくりたい」

多田は、南が雑談で何気なくこうつぶやいた言葉に本心を感じた。根は素直で分かりやすいというのが、周囲から見える南の人物像である。

「終わり」から逆算する

当の南自身は、自分の行動原理を「計画」「フレームワーク」「規律」の3つの言葉で規定している。

まず、計画。南はすべてにおいて、やるべき行動計画を立てる。人生を結果から逆算して生きている、と語ることもある。

究極的な終わりとは死だ。「死ぬ間際に自分の人生を振り返ったら、何を思い出すだろうか」という発想から、やることを決めている。

究極の目標は「好きなときに、好きな仲間と、好きな仕事をできる人間になること」。そのためには、時代に合ったスキルや知識を持ち、信頼できる仲間とつながり、時間と健康のバランスを保つ必要がある。だからこそ、10年ごとにやるべきことを決め、計画を立てながら歩みを進めている。

二つ目はフレームワーク。計画を遂行するには、勝ちパターンをある程度蓄積する必要がある。南の言うフレームワークとはそれらの成功体験や失敗体験を体系化したものだ。

例えば、今後の章で頻繁に登場する「事業と人はセット」という考え方も、南の成功パターンの一つだ。経験を積む中で、自分の中に様々なフレームワークの引き出しをつくり、事業の成功確率を高めている。

最後の規律とは、計画をやり切るためのルールを指す。

南は、友人や社員と約束をすることが多い。その理由の一つは、誰かと契《ちぎ》りを交わすことで、自分にある種の強制力をかけることにある。

「僕はサボり屋で飽きっぽい。でも、誰かのためにやると決めたらできるから、約束をする」と南は言う。自分にルールを課し、約束をやり遂げるための原動力にしていく。

南は、自分のことを極めて客観的に捉えている。かつてあるカンファレンスで、自分の生き方をこう説明していた。

「人生を客観的に一つのストーリーとして見ている自分がいる。死ぬ間際になって全部振り返るとしたら、意図的におもしろいことをしていかないと盛り上がらない。僕は割と真面目な人間なので合理的に物事を判断するけど、その合理性を超えないと人生はおもしろくならない」

外資系投資銀行に勤めていた人間が、プロ野球チームに転職したらおもしろい。その次は「インターネットで人材業界を変える」と起業したらドラマチックじゃないか。

「ビビりな僕が大きな決断をするには勇気が必要。心の壁を越えるには、決断をネタにするしかない。ここでこんなことをやったら後で振り返って絶対おもしろい。そんな発想が自分の背中を押してくれる」

すべてはネタづくりなのだから、どんな失敗も許容できる。むしろ、「失敗はおいしい」と思える。そう考えることで、自分の中から想像以上のパワーを引き出せる、というわけだ。

南自身が本当にやりたいことを確信したのは、ビズリーチを創業した後のことだ。そこで南は、自分の強みが「次々と問いを立てる力」にあることを強く意識するようになる。

「問いを立てる力」の原点

ビズリーチの創業から5年後の2014年夏。南は悩んでいた。

一つは、日常的な組織マネジメント能力の限界について。ビズリーチの社員数は、いよいよ300人を超える規模に成長しつつあったが、自分の執行能力では1000人の組織へ発展させていくのは難しい。今よりも大きな組織を日々マネジメントすることに限界を感じていた。

もう一つは、自分のこの先の生き方について。ビズリーチの事業は成長しているし、進むべき方向もブレていない。社内には若い経営者候補も台頭している。だが最近になって、本当にこれが自分のなりたい姿なのか、自信が持てなくなっていた。

もともと、南は一つのことに没頭するタイプの人間ではない。知り合いが釣りにハマっていたり、行きつけのバーに通い詰めているという話を聞いて、何か一つにこだわる生き方に憧れた時期もあった。しかし、自分はどうやっても、何か一つのテーマに強いこだわりを持ち続けることができなかった。

むしろ色々なことに挑戦して、多様な経験をする方が自分の肌に合っている。ビズリーチに未練はあったが、一方では、また新しい事業を始めたいという気持ちが高まっていたのも事実だった。

もちろん、創業者が会社を去る意味の重さは理解している。いきなり辞めてしまえば、会社は大混乱に陥るだろう。

創業者として保有する株式をすべて会社に返上すれば、しこりなく辞められるんじゃないか。そんなところまで考えて、最後は創業メンバーの永田信に胸の内を伝えた。

「このままビズリーチにいても、自分がボトルネックになる。事業を成長させるためには、身を引くのも一つの選択肢だと思っている」

いつになく神妙な表情で結論に至った背景を説明した。

黙って話を聞いていた永田は、南がひとしきり話し終えると一つ尋ねた。

「辞めてどうするの？」

「……それは、何かおもしろいことをやりますよね」

「だったらさ、別に辞めないで、うちの会社の中でやればいいんじゃないの？」

「……」

永田はこう続けた。

世の中の課題を解決する事業をやり続けたいなら、会社の中でやればいい。南は自分のこだわりのなさに悩んでいるようだが、永田の視点で見れば、それは次々と新しい事業に挑戦できる強さに映る。せっかくなら、その強みを自分の会社で生かせばいい。

「ただし、事業を立ち上げるための資金は自分で調達してきて」

このとき、南も心の中で何かが腹落ちした感覚があった。

「そうか、と。会社経営とは一つの事業にフォーカスしなくてはいけないという思い込みがどこかにあった。でも指摘されるまで、それに気づくこともなかった。もっと自分らしく、自然体で好きな事業づくりに向き合えばいいんだ、と」

一つの事業にこだわらなくても、世の中の課題を解決できるなら、どんどん新しいことに取り組めばいい。社会課題を解決するための問いを次々と立て続けていけば、それが究極的にはビズリーチの競争力になるはずだ。

永田の話を聞きながら、「これこそが自分のやりたいことだ」と南は確信した。

この会話が起点となり、その後、南はビズリーチの経営を現社長の多田に託し、自身は次々と新しい事業づくりに乗り出していく。

課題発見力こそ、企業の競争力である──。

これから読む物語は、「問いを立てる力」を武器に、数々の窮地を乗り越えた経営者、南壮一郎とそれを支えた仲間たちの成長の軌跡である。

南の課題発見の過程、そして事業立ち上げのステップは、まさに問いを立て、それに答えていくプロセスそのものだ。

南が課題発見力をどこで培い、どのように実践してきたのか。

その本質を理解するには、物語をビズリーチ創業の少し前から始める必要がある。

カギを握るのは、南に経営者として多大な影響を与えた3人の人物だ。楽天イーグルスの立ち上げ時代に出会った3人の経営者とのストーリーから、すべては始まった。

第二章

楽天イーグルスの教え

三木谷・島田・小澤という傑人

日本のプロ野球史の中で、２００4年は歴史に残る年として記録されている。

この年、およそ半世紀ぶりに新チーム「東北楽天ゴールデンイーグルス」がプロ野球のパシフィック・リーグ参入を果たした。シーズン１３６試合を戦い、結果は38勝97敗1分。記録的な勝率の低さが野球ファンの耳目を集めたが、一方でプロ野球関係者の興味を引き寄せたのが、球団の残した「営業成績」だった。

楽天野球団（楽天イーグルスの経営母体）の初年度収支は次の通りだった。

・売上高　73億８５００万円
・営業費用　72億２９００万円
・営業黒字　1億５６００万円

参入当時、パリーグは全球団が赤字で、その金額も平均で約40億円と言われていた。そんな中、実質ゼロからつくり上げたチームが1億５６００万円とはいえ、初年度から黒字を達成したのだ。

「あり得ないことが起こった」。当時、プロ野球関係者は大いにざわついた。

球団が本来追求すべきビジネス感覚を失わず、伝統的なプロ野球の常識や慣習を打ち破り、黒字を達成した楽天イーグルス。その衝撃的なデビューは、伝説的偉業として今もなお、プロ野球関係者の間で記憶されている。

本書の主役である南壮一郎も、この楽天イーグルスの創業メンバーとして黒字化達成に貢献した。「初年度の黒字化は絶対に無理」と周囲にバカにされながらも、先輩や仲間と試行錯誤を重ね、次々と難題を乗り越えて目標を達成していく――。

この経験こそ、南の起業家としての原体験であり、その後のビズリーチ創業につながる大きな物語の原点でもある。

プロの経営人材を集める

そもそも、楽天が全く畑違いのプロ野球に参入したきっかけは、日本のプロ野球球団が慢性的な赤字体質を変えられなかったことに起因していた。

歴史を振り返れば、プロ野球はもともと高校野球の全国高等学校野球選手大会、通称「甲子園大会」という人気コンテンツを有する朝日新聞社に対抗するため、ライバルの読売新聞社（現読売新聞グループ本社）が始めたという経緯がある。

球団を所有する企業にとって、「野球は企業名を知らしめるための広報事業」という意識が強く、赤字でも仕方がないという風潮が連綿と続いていた。健全経営を本気で目指す球団は少なく、結果として、親会社が子会社である球団の赤字を補填するという甘やかされた環境の中で球団経営が続いてきた。

その帰結として起きたのが、2004年の旧近鉄バファローズの経営難に端を発した球界再編騒動だ。これが楽天の50年ぶりの新球団参入につながっていく。

楽天グループ代表の三木谷浩史は、当初から「球団運営もビジネスである」と主張し、「健全経営」をプロ野球参入時の公約の一つに掲げていた。

球団の立ち上げには、プロ野球以外の業界からプロの経営人材を多数登用。球団社長には人材会社インテリジェンス（現パーソルキャリア）創業メンバーの島田亨を招聘した。

三木谷は個人投資家として起業家支援を続けていた島田を口説き落とし、「生きのいい若手や高いビジネス能力を持った人材を揃える」という約束の下、新球団の舵取りを任せた。この「生きのいい若手」の一人が南だった。

当時、南は新卒で入社したモルガン・スタンレー証券を辞め、スポーツビジネスに関わる仕事を模索していた。楽天がプロ野球への参入を検討していると知ると、あらゆる人脈を駆使して三木谷との面会を取りつけ、〝一世一代のプレゼンテーション〟で直談判する。

楽天のプロ野球参入が認められるか分からない時期だったが、三木谷は南の情熱をおもしろがり、誰よりも早く創業メンバーの内定を出していた。

その後、楽天が正式にプロ野球への参入を決めると、球団立ち上げのために募集した職員には、25人の枠に7000人以上が殺到した。すさまじく狭き門となった事実を考えれば、当時から南には卓抜した嗅覚と先を読む力があったのだろう。

「予想を覆す結果を残せ」

2004年11月のある日。楽天のプロ野球参入が正式に決定し、メンバーを集めたキックオフ・ミーティングで、三木谷は二つの指示を出した。

一つは、開幕までに試合ができるようにすること。当時はチームはおろか、試合で使う球場すらなかった。試合が成立する最低限の選手とスタッフ、球場設備をすべて整えて開幕に間に合わせることが、プロ野球のペナントレースに参加する最優先事項となる。

もう一つが、健全経営の実現。先にも触れた通り、当時は大半の球団が赤字経営だった。参入時の公約に掲げた手前、三木谷の胸中には、それを実践して初年度から結果を出し、何としてもインパクトを与えたいという強い思いがあった。

事業計画上では参入から4年後の黒字を目指していたが、あえて「予想を覆す結果を残してほしい」とメンバーに発破をかけた。

三木谷の指示を受けると、メンバーは「プロ野球チーム担当」と「事業担当」に分かれた。南は当初、GM（ゼネラル・マネジャー）補佐としてプロ野球チーム担当側に振り分けられ、ドラフト会議や春季キャンプ、1軍と2軍の試合日程調整、選手やコーチ陣の契約書作成などを担当した。

キャンプの準備が整うと、今度は佳境に入った事業担当側にシフト。スポンサーシップ開拓やファンクラブ事業の発足、スタジアム事業の立ち上げなどを担うことになった。限られたメンバーの中で切り盛りするスタートアップのような環境だった。

開幕までのタイムリミットは既に5カ月を切っている。

「とにかく、やれることをすべてやろう」

球団トップの島田が気合を入れると、一斉に動き出した。

当時、28歳だった南は血気盛んで、突破力と事業構想力には大きな自信を持っていた。海外育ち、外資系投資銀行での激務を経て、どんな環境でも躊躇《ちゅうちょ》せずに飛び込める度胸もある。しかし、そんな若き南の鼻っ柱をへし折るようなすさまじい経営力を持った人間が、楽天イーグルスには何人もいた。

「特に強烈だったのが三木谷さんと島田さんと小澤さん。3人とも、ビジネスパーソンとしての器が普通じゃない。これまで見てきた世界とは、ビジョンもスケールも大きさが違った。起業家の事業づくりとはどういうものか。経営とはどういうものか。3人の背中を見ながらひたすら学んだ」

この3人から、南は経営者として最大の強みとなる「問いを立てる力」の本質を、吸収していく。

小澤隆生「課題のセンターピンを探せ」

「この課題の本質ってどこにあるんだ?」

宮城県仙台市。楽天イーグルスが本拠を構えることになる「県営宮城球場」(当時。現在は「楽天生命パーク宮城」)から少し離れたオフィスビルの会議室。小澤隆生が会議の出席者にこう問いかける。2004年の暮れから幾度も目にした光景だった。

南が影響を受けた経営者の一人目は、この小澤である。

今でも南が「事業づくりの師」と仰ぎ、兄貴分として慕う存在だ。当時32歳だった小澤は、三木谷が楽天から送り込んだ事業立ち上げのスペシャリストだった。

もとはネットオークションを手掛けるベンチャー、ビズシークを創業した起業家である。ビズシークが楽天に買収されたのを機に、小澤は楽天に参画。オークション事業を手掛けた後、楽天本社の執行役員として仙台に赴任していた。

「小澤さんは、人間の根源的な欲求とは何かを常に考えている好奇心の固まり」

南がこう表現するように、小澤の「知りたがり」の精神は尋常ではない。

興味を持ったことは何でも率先して試し、自分で体験して物事の本質と構造を理解する。

物怖じしない性格と大胆な発想、バランス感覚のあるコミュニケーション能力が持ち味で、頭の回転の速さと機転を利かした瞬発力には、三木谷も一目置いていた。

楽天野球団での小澤の肩書は、取締役事業本部長。グッズやチケット販売、スポンサー収入、放映権料の交渉など、球団の儲けに関わるすべてを統括する役割を担っていた。

南は小澤の部下として机を並べ、その背中から事業立ち上げの要諦を学んでいく。

小澤は事業づくりにあたって、課題の「本質」を探ることにこだわった。

「いいか、うまくいっているビジネス、成功している事業には必ず理由がある。それが何か探り当てることから始めろ。徹底的に調べて掘り下げて、その本質を見つけ出せ」

事業づくりの出発点は、自分が解決したい課題の本質を見つけることからだ。それをいかに早く、的確に探り当てられるかが事業の成否を決める。そのために小澤は「要素分解」という言葉を頻繁に使った。

世界の成功事例から学び尽くす

要素分解とはどういうことか。

例えば、球団のミッションの一つである初年度の黒字化。限られた時間で達成するには、コストを抑えつつも、効率的に収入を増やす施策をいくつも考えなくてはならない。

これを実現するために、小澤はまず事業を細かく分けていくことから始めた。

プロ野球ビジネスを要素分解すると、①チケット、②広告、③放映権、④グッズ、⑤スタジアム運営、⑥ファンクラブに分けられる。チケットは、販売方法や席のグレードという具合に、より細かく要素を分解できる。

小澤はこれを繰り返し、もう分けられないという最小の要素まで分類していった。

分解作業が終わると、今度はそれぞれの要素について、世界中の成功事例を調べていく。世の中の大抵のことは、自分が初めて考えたものではなく、誰かが既に実践している。まずは謙虚にその事実を理解し、成功事例をできるだけ集めて、そこから意思決定の判断軸をつくっていく。それが、小澤の基本的な考え方である。

分解した要素は、大きな表でまとめていく。

チケット販売なら、野球だけでなく、サッカー、コンサートなどの例を調べ、横軸に書き込んでいく。それに対して、縦軸には販売手段のインターネット、チケット売り場、駅前のグッズ売り場などを埋めていく。

しらみつぶしに調べて縦横のマトリックスを完成させると、すべての要素についてどれが成功していて、どれがうまくいっていないかがクリアに理解できるようになる。すると、プロ野球ビジネスの全体像が見えてくるというわけだ。

当時の南の同僚であり、現在はフード・デリバリーのスタートアップ、スターフェスティバル代表の岸田祐介は言う。

「とにかく、調べ方が尋常じゃなかった。プロ野球、プロサッカーのJリーグ、プロバスケットボール、さらには米国のメジャーリーグ、アメリカンフットボール、バスケットボール……。ありとあらゆるプロスポーツの事業構造を全部、調べまくった」

ニュースや公開情報で興味のある話題を見つけると、小澤は自分の人脈を駆使して当事者に直接、話を聞きに行った。対象は球団関係者に留まらず、取引先の業者や広告主など、会える限りの人に会い、とにかく情報を集めていた。

「何が成功し、何がうまくいかないのか」

聞くポイントを絞り込み、ひたすら取材を重ねていく。

当時、会議以外の時間に、会社で小澤の姿を見かけることはほとんどなかった。小澤は大半の時間を割いて様々な関係者に会い、徹底的に調べ尽くしていたのだ。

その様子を見た南はこう思った。

「あんなに愚直に情報を集め、どんな手を打つべきかを考える人は見たことがなかった。とにかくディテールへのこだわりがすごい」

それが課題の本質を捉えるための必須条件だということを、のちに理解した。

徹底したリサーチは、事業づくりの大切な基盤である。小澤はこの愚直な作業によってプロ野球の事業構造を把握し、楽天イーグルス黒字化のために、絶対に外してはいけない課題の本質を見つけ出した。

赤字常態化の要因を突き止めた

小澤が見つけ出した黒字化のために絶対に外せない課題の本質――。それが「球団と球場の一体経営」だった。

もう少し詳しく説明をしよう。当時、日本のプロ野球球団の大半は、チームである球団とスタジアムの経営を、別々の母体が担っていた。スタジアムと球団はいわば大家と店子のような関係で、試合のたびにプロ野球球団は、スタジアムの運営会社に賃借料を支払っていた。問題は、その賃借料がべらぼうに高額なことだ。南の同僚だった岸田が説明する。

「スタジアムに対してお金を払って野球をやらせていただきますというのが球団。試合のたびに使用料を払うのだが、それが1回約3時間の試合に5000万円くらいかかる。年間80試合するとそれだけで40億円。この時点で球団の赤字が確定してしまう」

スタジアム内で販売する弁当やビールなどの飲食物や広告看板の売り上げは、すべてスタジアムの運営会社に入り、ファン向けのグッズ販売も売り上げに応じた少ないロイヤルティ収入だけが球団に支払われる。

「結局、何をしても儲かるのはスタジアムで、球団が売り上げを伸ばそうとしても、手足が縛られたような構造になっていた」

そう岸田は説明する。

これでは、球団がどんなに売り上げを伸ばす施策を展開しても利益にはつながらない。イベントを企画しても、一つひとつ球場側に説明して許可を取る必要もある。機動的に何かを仕掛けることは困難だった。

調べてみると、こうした事業構造は当時のプロ野球界では当たり前とされていた。多くは球団経営を赤字やむなしと割り切っていたため、不自由なスタジアムとの関係に疑問を抱くこともなかったようだ。

球団とスタジアムを一体的に経営できていないことが、日本のプロ野球が儲けられない最大の理由であり、赤字が常態化する要因となっている。

小澤はこう結論付け、それを改善する行動に出た。球団とスタジアムの経営を一体化できるような本拠地を探したのである。

結果的に、県営球場のオーナーである宮城県が交渉に応じ、スタジアムの営業権と球団をセットで経営する契約を受け入れた。

宮城県に対しては、あらかじめ決まった年間利用料を支払う代わりに、楽天イーグルスがスタジアム改修や設備、日常的な運営や保守を引き受ける。数十億円という改修費用もすべて楽天イーグルスが負担するが、代わりにスタジアム内での広告やグッズ販売、飲食などの営業活動はまるまる楽天イーグルス側の収入となる。

それまで、いくら頑張ってもスタジアムの運営会社に流れ出ていくだけだった儲けが、これで是正された。バケツの穴がふさがり、メンバーの創意工夫が儲けに直結する。

以降、楽天イーグルスは既存の球界にとらわれない奇想天外な企画を次々と打ち上げていった。それも、すべては本質的な課題を解消できたからこそ。南は、事業の立ち上げにおける課題の本質を探り当てる作業の重要性を強く認識した。

事業構造を調べ抜く

小澤らは本質的な課題を探すのと並行して、細かく要素分解をしたプロ野球事業から、売り上げの拡大につながりそうな施策を検討していった。

先にも触れたが、プロ野球では主に6つの収益の柱が存在する。

①チケット、②広告、③放映権、④グッズ、⑤スタジアム運営、⑥ファンクラブ。それぞれについてほかのスポーツや海外の事例などを研究し、成功の法則を探していった。

その一例がファンクラブだ。ファンクラブという会員組織はプロ野球に限らず、音楽や芸能など、様々な業界で存在する。それらを調べていくと、いずれも年会費は3000円前後だった。明確な理由は分からなかったが、恐らく一般の人が出せる妥当な相場なのだろう。

ところが、海外にはそれよりもずっと高額な会費を徴収するファンクラブがいくつもあった。多くは人数限定だが、高級会員に限定したサービスやグッズも揃えている。

その存在を知り、小澤らは「なぜ高級ファンクラブが存在しないのか」と議論を重ねていった。その結果、楽天イーグルスでは、年会費3000円のファンクラブ会員のほかにも、年会費1万円の「ゴールド会員（現スタンダードコース）」と、年会費10万円の「ブースタークラブ（現プレミアムコース）」の販売を始めた。初年度は、この2つの高額コースがファンクラブ売上高の8割程度を占め、大いに業績に貢献した。

同じような発想は、グッズ販売やチケット、スタジアム運営にも展開された。

グッズ販売では、大手芸能事務所と楽天イーグルスで合弁会社を設立し、中国で専用グッズを製造。スタジアム内の店舗などで直接販売する製造直販モデルを導入した。一般には、販売元から権利料を徴収するロイヤルティビジネスがプロ野球界の主流だったが、製造直販の方が利幅は大きい。これも、球団とスタジアムの一体経営が実現し、グッズ販売がそのまま球団の収益に直結するビジネスモデルになったからこそ取り入れられた戦術だった。

小澤は何度もこう繰り返していた。

「大切なのは、課題の本質であるセンターピンを見抜くことだ」

ボウリングでは、並べられた10本のピンのうち、中央最前線にあるセンターピンを倒せば、ほかのピンも倒れやすくなる。

ビジネスも同じで、もっとも本質的な課題を解決すれば、状況は一気にひっくり返る。だからこそ徹底して情報を集め、要素を分解し、センターピンを探し当てる必要がある。この考えは、今も南の事業づくりの基盤となっている。

「本当の顧客」は誰か

事業づくりという点で、南はもう一つ、大切な姿勢を小澤から学んだ。それは「常識をいかに疑うか」という視点だ。

あるとき、南らが小澤と話している中で、「我々の本当の顧客は誰だ」という話になった。

プロ野球の収益の基盤は、強いチームが健闘してこそ。選手の活躍を生で見たいとファンがスタジアムに足を運ぶことが観客動員の原動力になる。しかし残念ながら、楽天イーグルスは当時、絶望的に弱かった。

しかもよく調べてみると、仮に楽天イーグルスが強くなり観客動員数が増えたとしても、採算が合う可能性が低いことも分かった。

楽天イーグルスは仙台市を拠点とするが、そもそも東北地方の近隣都市を合わせても、ほかの球団の本拠地に比べて商圏は小さい。たとえ周辺地域の野球ファンが毎試合、ゲームを見に来ても、スタジアムが満員になることは物理的に難しかった。

安定的に稼ぐには、チームの強さに依存しないビジネスモデルを構築する必要があった。

一般的には広告を打ったり、地元企業と組んでキャンペーンを張ったりするようなアプローチが定石だろう。しかし、そんな手を打っても結局は野球好きにしか訴求できない。

何か、別の方法はないか――。そんなとき、小澤がおもむろに問いかけた。

「プロ野球ファンでない人は、試合の時間帯、どこで何をしているのだろう」

基本的に人は、スポーツのためだけに時間やお金を捻出しているわけではない。限りある時間とお金の中でその配分を決めている。大半の人は、楽天イーグルスの試合にお金と時間を使うと事前に決めて生活しているわけではない。

ならば、ほかのことに流れている時間とお金をスタジアムに誘導すればいいのではないか。果たして、何が楽天イーグルスのライバルになるのか。

野球の試合が実施される夜の時間帯のビジネスパーソンの行動を調べると、多くは居酒屋で過ごしていることが分かった。同僚や仲間としゃべりながら酒を飲み、一日の疲れを癒やしていた。野球を見る人はいるが、大半はテレビ中継で済ましていた。

小澤はさらに、問いを立てる。

「居酒屋では、なぜ野球がなくても3時間居座れるのに、スタジアムでは野球があってもみんな飽きてしまうのだろう」

メンバー全員で議論した結果、この課題の本質は「コミュニケーション」だと結論付けた。人が居酒屋に集うのは、そこで楽しく話ができるからだ。居酒屋では別に、楽天イーグルスが試合に勝とうが負けようが関係ない。人と話すことが目的だからだ。

では、スタジアムをコミュニケーションの場にするにはどうすればいいか。もっと言えば、居酒屋と同じ感覚でスタジアムに来てもらうには、どうすればいいのか――。

「スタジアムを巨大な居酒屋にすればいいのではないか」

スタジアムで酒を飲んで、おいしい食事を楽しめて、仲間と話せるなら、野球に興味のない客も来る。しかもこの居酒屋は、たまたま野球が生で見られる。あくまでも、飲み会がメーンで、プロ野球観戦そのものを居酒屋で仲間同士が飲む際のつまみにしてしまうという逆転の発想だった。

そう考えれば、野球に興味のない人にも訴求できる。コミュニケーションをたっぷり取れる空間を客が求めているなら、それを実現すればいい。

アイデアはさらに膨らんでいった。

居酒屋には、みんなが横並びで飲むカウンター席と向かい合うテーブル席がある。せっかくなら、スタジアムにも居酒屋と同じようなシートをつくってはどうか。

一般に、スタジアムのシートはグラウンドに向かって横並びで設置されている。この一部をテーブル席のように向かい合う形に変えるのである。そうすれば、客同士が会話を楽しみながら、横目で野球も観戦できる。

「野球好きだけがお客さんではない。スタジアムで騒いだり友人と盛り上がったり。そんなコミュニケーションを含めてスタジアムにいることを楽しんでもらえればいい」

小澤の奇想天外な提案に、当初はプロ野球界のキャリアが長い人間ほど反発した。スタジアムは、あくまでも野球を観戦する場所である。仲間とのおしゃべりを楽しむついでに試合を見るのは、あまりにもプロ野球を軽んじている、というわけだ。

それでも、小澤は「我々の顧客は誰か」と説いて回り、自らの主張を押し切った。新しいテーブル席を「ボックスシート」と名づけ、初年度には数十席を設置した。

新しいコンセプトのシートは大きな反響を呼んだ。小澤の目論見通り、会社帰りのビジネスパーソンが、飲みながらコミュニケーションするためにスタジアムを訪れるようになったのだ。チームが試合に勝っても負けても、ファンはスタジアムに来るようになった。

「ゲームのルールを変えろ」

「居酒屋コンセプト」は見事に当たり、大きな注目を集めた。

評判を聞きつけた千葉ロッテマリーンズや横浜ベイスターズなど、ほかの球団も同じようなコンセプトのシートを続々と取り入れ、今ではスタジアムの定番設備となっている。

小澤は、プロ野球界にとっては〝外様〟の存在だった。だからこそ、フラットな視点でプロ野球というビジネスを見つめ直し、斬新なアイデアを思い付くことができた。

「一つの業界に深い知識があることは大切だが、その常識にとらわれすぎると、新しいことは何もできなくなる」

南が小澤の決断から学んだことは多かった。

スタジアムは試合観戦のためだけの場所。プロ野球の世界に長くいると、こうした常識を問い直すことは難しくなる。結果的に違った視点で課題を見直すことができず、イノベーションは生まれない。

業界のアウトサイダーだからこそ、プロ野球界の常識にとらわれずにできることがある。小澤は「ゲームのルールは変えられる」ということを結果で証明した。

課題の本質を探し出す思考法について、小澤はこう語っている。

――課題の本質を探り当てる作業は、どういう手順で進めているのでしょう。

「僕は仮説づくりと言っているけど、ある領域の事業に進出しよう、あるいはうまくいってないものを立て直そうというとき、大抵世の中には、既にうまくいっている会社があるわけです。そこで、うまくいっているケースを世界中から5社ぐらい見つけて、つぶさに調べていく。すると、見えてくるものがあるんです」

「例えば、人を笑わせたいという課題があるとします。まずは競合分析として、いくつかのお笑いグループを調査します。そして、あるグループは人気コメディアンがずるっとこけたらみんなが笑うことを発見します。すると、『競合はこけて笑いを取っているぞ』となる。俺たちもこけて笑いを取ろう、と」

――真似をするわけですね。

「でも、人気コメディアンがこけた場合と自分たちがこけた場合では、意味が違う可能性もあるわけです。そもそも見ず知らずの人がこけて、競合と同じように笑いが取れるのかという疑問もあるでしょう」

「そこで、さらにこのグループ以外の競合をいくつも調べていきます。すると、また別の発見をする。あるお笑いグループは、たらいを上から落として笑いを取っている。これらを総合すると、どうやら笑いには『予期せぬことが起きる』ことが大事な要素なのではないか、という仮説が生まれるわけです」

――非日常的で格好悪いことが起きている、と分かるわけですね。

「仮説ができたら、今度はその仮説に立ってさらにほかの人を見てみる。例えば、別のお笑いグループが落とし穴に落ちた。みんなが笑っている。あるいはブーブークッションの上に座って驚いた。笑っている。しかし予期せぬことといっても、交通事故では誰も笑わない」

「どうやら非日常的で間抜けなことがカギを握るのではないか、ということが見えてくる。今度はその軸でもう一度競合を分析して、ようやくこれは確かにそうらしいと確信する。これがセンターピンの探し方です」

――なぜ、小澤さんは課題を探すのでしょう。

「やっぱり、すごく楽しいからね。自分でつくった仮説が当たったとき、人間は一番やりがいを感じると思うんです」

「ジグソーパズルってあるじゃないですか。僕はよくあれで徹夜するんだけど、単純に考えたら、もともと絵だったものを崩して元に戻すだけの遊びです。本来ならやりがいのかけらもないはずなのに、徹夜するほど夢中になる。なぜだろうと考えると、恐らく仮説を繰り返し検証する行為だからだと思うんです。『こことここのピースがはまるかもしれない』という仮説に対して、当たり外れがすぐに分かる」

「そして、ぴたっとはまったときの快感ったらない。1000ピースのパズルなら、外れも合わせて何千回もそれが体験できるわけです。人間は本能として、自分が考えたものが合っていたかどうかで幸福が決まるのではないかと思うほどです。だから、自分の仮説や挑戦が正しかったと確認できると、大きな喜びで満たされる。自分がつくったものが人から承認されたというのも含めて、ですね」

「個人的にはどんなに小さなことでも仮説をつくり、検証する作業が仕事の本質だと思っています。その〝当たり〟を積み重ねていく作業は、僕にとって幸せでしかない。でないと、知恵の輪にはまる理由が説明できませんから。なんであんな鉄のリングを外すことに一生懸命になるのかと（笑）」

「仮説を立てる」とは、長らくその業界が従ってきたルールを疑う行為でもある。当然、最初は周囲から浮き、バカにされることもある。

だがそれが理に適った正しいルールであれば、やがてみんなも真似をするようになる。最終的にはそれが新しいルールになっていく。そのとき、初めて人の行動を変えられるのだと、小澤は言う。

南は、当時をこう振り返る。

「小澤さんに出会うまで、あんなに楽しそうに仕事をする人を見たことがなかった。苦しみや我慢の先に成功があるのであって、そのプロセスは喜びや楽しみとは無縁だと思っていた。ところが小澤さんは様々な人を巻き込みながら、課題解決そのものを楽しんでいた。仲間との事業づくりこそ、仕事におけるもっとも楽しいことだと背中で教えてくれた」

課題を見つけ、検証し、そして仲間と一緒に楽しく乗り越える。南は、今も小澤の姿勢を踏襲している。

まずは70点を目指す

小澤はもう一つ、事業を進める上で優先順位の決め方について、大切な考えを南に教えていた。

「まずは70点を目指そう」

複数のプロジェクトが乱立して現場が混乱したとき、小澤はしばしばこんな表現を繰り返した。

球団設立当時、開幕に向けて100以上のプロジェクトが同時並行で走っていた。70点とは、その中から目的を達成するために最低限必要になるプロジェクトに優先的に取り組んでいこう、という考え方だった。

楽天イーグルスが目指すチームとしての70点とは、「開幕までに選手が揃って、公式戦のできる環境、すなわちスタジアムと設備が完備されていること」だ。

極論すれば、観客がスタジアムにいなくてもプロ野球の試合は成り立つ。しかし、選手や審判、スタジアムがなければ試合は成立しない。課題を達成するには常に優先順位を自分の中で整理し、明確にしておくことが事業の成否を左右する。

当たり前のように聞こえるが、時間的な猶予のない猛烈なプレッシャーの下では、何が大事で何がそうでないのかを判別するのは案外難しい。

小澤は言う。

「例えば、開幕準備の中で一番関心の高かった会議の議題が、開幕の始球式を誰にお願いするかということだった。確かに華やかで、みんなが盛り上がる。しかし、始球式に誰が投げようが試合は成立する。それなのに、その場の雰囲気に呑み込まれてしまうと、一番大事なテーマだと錯覚してしまう。だからこそ、絶えず物事を俯瞰的に見て、外してはいけない要素要点を確認していくのが、大切な仕事の一つだった」

事業を客観的に把握し、解決すべき課題に優先順位を付けなくては、いくら頑張っても結果につながらない。課題の本質を見つけ出す作業と同じくらい大切な考え方を学んだと、南は振り返る。

島田亨「理念で組織のベクトルを合わせる」

徹底的な調査に基づいて問いを立てる方法論を教えたのが小澤なら、それを事業として成長させるマネジメントの要諦を教えたのが球団社長の島田だ。

50年ぶりの新しいプロ野球チームは、文字通り、すべてがゼロからの立ち上げだった。初年度の黒字化に向けた課題のセンターピンは特定できたものの、その組織をまとめ上げることができなければ、事業は迷走してしまう。

楽天イーグルスの創業メンバーには、多方面で経営の実務に精通した人材が揃っていた。とはいえ、それぞれが活躍していた業界や立場はバラバラだ。多様性あふれるチームを一つにまとめ、同じ方向に向けて事業を推進するには、組織を束ねる存在が欠かせない。
その重要な役割を担ったのが島田だった。

徹底的なリサーチによってプロ野球の事業構造は明確になり、取り組むべき領域も徐々に明らかになっていく中で、島田は新球団が目指す具体的な姿を表現しようと模索していた。島田も、小澤と同様、徹底的に現場を歩くタイプの経営者だ。日本に留まらず、世界中のスタジアムを視察し、それぞれのスポーツがどんなコンセプトで経営されているかを調べていった。

「海外で見たのは、日本のスポーツとは全く違う世界。ファンが心から試合を楽しんでいる。スポーツというよりは、アミューズメントパークのような場所だった」

こう島田は振り返る。そして、熟慮の末に次のような企業ミッションを定めた。

「我々はベースボール・エンターテインメント・カンパニーを目指す」

日本のプロ野球は、甲子園に代表されるアマチュア野球から発生しており、観客を楽しませるという考え方よりも、「野球道」や「野球精神」を重視する傾向にあった。あえて横文字の「ベースボール」としたのは、「野球」という言葉が含むイメージを変えなければならないというアンチテーゼだった。

プロ野球の世界で「ファンサービス」と呼んでいたものを、もっとみんなが楽しめるように変えていく。それこそがエンターテインメント・ビジネスだと明確に位置付けた。

このコンセプトに沿えば、球場も単に試合を観戦するだけの施設ではなくなる。野球以外の楽しみも提供する。いわゆる米国の「ボールパーク」である。

この違いは大きい。なぜなら、事業としてはスポーツ観戦に加えて、食事をして、3時間過ごせる空間をどう提案するかという発想を生む余地ができるからだ。この方針があったからこそ、小澤の「居酒屋コンセプト」が実現した。

こうした考え方を、島田と小澤は「打ち出し角度」と呼んでいた。

エンターテインメント・カンパニーという理念に加え、島田はより具体的な行動指針となる言葉を3つのフレーズに落とし込み、楽天イーグルスの進むべき方向を明示した。

・地域と一体となった活動を目指す「地域密着」
・利益をしっかりと確保する「健全経営」
・組織レベルで自律的に成長していく「強いチームづくり」

このミッションと3つの行動指針が、楽天イーグルスが手掛ける事業のすべての価値基準になっていく。迷ったら立ち返るべき判断軸、とも言える。

お手本はディズニーランド

初年度の開幕直前から、プロ野球興行の運営責任者となり、スタジアム全体のエンターテインメント化を推進していた南も、島田が目指した理念に沿って様々な企画を実現していった。

例えば当時、小澤や南が居酒屋と並んでベンチマークにしていた施設が、ディズニーランドだった。エンターテインメント施設としてもっとも参考にすべき手本は何かと考えれば、それはほかのプロ野球チームではなく、ディズニーランドである。

南らは顧客を喜ばせたり、集めたりするディズニーランドの施策を徹底的に研究し、そこからいくつかのアイデアを形にしていった。

その一例が球場のマスコットだ。

マスコットは3割バッターでもないし、勝利に貢献することもない。しかし、ファンを喜ばせる力はスター選手並みにあり、何よりもスランプがない。

高い年俸のバッターが怪我をすれば数億円がふいになる。このリスクを考えれば、マスコットをつくり、人気者にすることができれば、集客の強力なコンテンツになるというわけだ。実際、南は「Mr.カラスコ」という悪役マスコットを生み出して大人気を博し、観客動員とグッズの売り上げに大きく貢献した。

ほかにもディズニーランドのアトラクションやイベントなどで、球団運営に応用できるものはどんどん取り入れていった。

年70試合あるホームゲームでは、試合の前も最中もスタジアム内外でイベントを催した。こうした判断ができたのも、「ベースボール・エンターテインメント・カンパニー」という方針が明確だったからだ。

「野球を見るためだけのスタジアムという考え方なら、通らない企画ばかりだっただろう」

こう南は振り返る。だが目指していたのは、エンターテインメント・カンパニーだ。進むべき打ち出し角度、そしてそれを表現する言葉の大切さを、南は学んだ。


組織におけるミッションの重要性について、島田はこう語っている。


――楽天イーグルスでは、組織の方向性をメンバー全員と合わせる作業を大切にしました。

「人に意図を伝えることなしに組織は動かせませんから、言語化はとても大切な力になります。本来なら何も言わなくても、進むべき道にみんなが向かってくれるのが理想なんですが、そんなことはまず起こりません。だからこそ、リーダーが意識的に組織のベクトルを合わせていく必要があります」

――そのために、企業ミッションを掲げるのですか。

「楽天イーグルスを立ち上げた直後に合宿をして、みんながどんな球団にしたいのか、何を考えているのかを披露してくれとお願いして、思いをぶつけてもらいました。それらを吸い上げて、最後は僕がミッションを決めました。どんな言葉で打ち出していくかはやはり、事業を預かった責任者が考えるべきです。大事なのは、言葉を決めた本人が心からそう思っているか。どんなに美しい、それらしい言葉を並べても、責任者が本気でなければ、すぐに見破られます。すると、もう言葉だけが浮きまくってしまう」

——自分にウソをついてはいけないということですね。

「そうですね。それと、掲げる言葉は誰もが理解できる必要があります。何度も繰り返して言えるくらいシンプルで、ストレートな方が浸透しやすい。後はとにかく繰り返して刷り込んでいくこと。一度説明しただけでは本質的な意味は伝わりません。毎日毎日、話していく中で、ようやくメンバーが理解していく。だからリーダーは辛抱強くメッセージを伝えることが大切です」

もっとも、南も当初は島田のコンセプトを掲げる行為を冷ややかに見ていたという。

「自分が金融業界の出身だったということもあって、プロがそれぞれ自分の仕事を遂行していれば、それでいいんだろうと思っていた。チームで働くには、みんなでミッションやバリューを共有することが大切だという考え方そのものも、楽天イーグルスに参加するまでは全く理解できなかった」

南本人がコンセプトを掲げる重要性を腹の底から理解したのは、のちに経営者として事業を運営し始めてからだ。

「ゼロから事業を立ち上げる場合、メンバーは寄せ集めなので、チームの価値観はバラバラだ。しかも正解がない。そのときに、どうやってチームをまとめるのかというと、会社の存在意義や目指す姿、大切にする価値観を示すことが重要になる。採用面接の段階から一貫して会社の価値観を伝え続ける。どんなに優秀な人でも、価値観が合わなければ一緒に働き続けるのは難しいし、組織としてまとまらない」

組織だけでなく、事業やサービスを浸透させていく上でも本質は同じだ。

実際、ビズリーチは「ダイレクトリクルーティング」「即戦力人材」など、概念をできるだけ端的で分かりやすい言葉に変換し、サービスを訴求するパターンをつくり上げていくことになる。

三木谷浩史「それは世界を変える問いか」

課題の本質を抽出し、それを端的な言葉で表現していく。島田の課題発見のプロセスを肌で感じていく中で、さらに本質的な問い掛けをしてきたのが楽天グループ代表の三木谷浩史だった。

三木谷は「大義」という言葉をよく使った。

「いいか南、課題は無数にある。問題は、そこからどれを自分の課題として選ぶかだ。それは、どれだけの人の課題を解決するのか。事業としてやる以上、社会にインパクトを与え、世界を変えるようなスケールの大きな問いに向き合わなくては意味がない。そこに、大義があるのか」

人は誰しも迷う。苦しくて立ち止まることもある。それでも前に進むには、最初に自分たちが目指すものが何かという意義を明確にするべきである——。

三木谷は、南に繰り返しこう説いた。

常に意思決定の中心に大義を据える。普段からそう考え、実行しているからこそ、三木谷は小手先で済ませるような適当な仕事を極端に嫌う。

南が球場のイベント企画を説明したときのことだ。そのイベントには、当時の人気俳優を茶化すようなお笑いの要素が含まれていた。三木谷は「人を茶化すことで一瞬の笑いを取っても価値はない。メディアを通じて全国に報道されるくらい話題性のある企画を考えろ」と、即座に南の提案を却下した。

小手先で変わったことをやっても、結局は小さくまとまっていくだけだ。どうせやるなら、価値があることを正しく堂々とやろう。ビジネスの一番の王道を探して進むことを意識せよ。

三木谷はこう説いた。

「なぜ、この課題がまだ存在しているんだ」

三木谷も、小澤や島田と同じように、調べ抜くことの大切さを南に教えた。

「俺が知りたいのはお前のアイデアではない。なぜ、この課題がまだ存在しているのかということだ。お前が考えていることなんて、既に何万人もが考えている。それなのに、なぜ今もその課題が解決されずに存在しているのか。業界の構造や歴史を徹底的に要素分解しろ」

例えば、プロ野球。なぜ、読売巨人軍があれだけの力を持つようになったのか。それは、プロ野球界そのものをつくったのが読売新聞社であり、それは甲子園というコンテンツを持つ朝日新聞社に対抗するために始めたものだったからだ。

過去の文脈を理解すれば、なぜプロ野球というビジネスがこれまで、球団を持つ企業にとって広告宣伝的な存在で、メディア事業の色合いが強くなったかが分かるはずだ。

構造や歴史を理解しているかどうかで、誰と組めばいいか、どこを攻めればいいかという判断は全く変わってくる。

三木谷はさらに、立てた課題の達成度合いを計測できるよう、必ず数字に落とし込んでいくことを求めた。登る山を決めても、自分が現在、何合目にいるのかが分からなければ、その成果は可視化できない。

あるとき、三木谷が南に聞いた。

「観客は試合前に催しているスタジアム外のイベントにどれだけ満足しているのか」

至極的確な質問だったが、それまで満足度を測定したことなどなかった。分からないと答えると、三木谷はこう言った。

「どんな取り組みも、スプレッドシートに落として考えられなかったら意味がない。頑張った成果を測定できなければ、何のために努力しているのか分からない。とにかく測定できる方法を考えてみろ」

思案の末、南は試合開始の何時間前から、どのくらいの観客がスタジアムに来場しているのかを毎試合、調べることにした。来場客の入場時間が早いほど、試合以外の楽しみを求めて来ているはずだという仮説を立てたわけだ。

同時に、スタジアムにおける顧客の飲食やグッズの購入単価も、試合前の入場時間と掛け合わせて分析を始めた。スタジアムでの滞在時間が、飲食やグッズの購入単価と比例することが分かると、これまで続けてきた方向性を推進する重要な経営データとなった。

計測できる数値が定まると、目標を設定することができる。1カ月後にはここまで、2カ月後にはここまでといった具合に、成長への道筋を描くことができるようになるのだ。

「数字で事業を可視化することの大切さを学んだ」と南は言う。

そして何よりも、三木谷からはスケールの大きな課題に取り組む大切さを学んだ。

「三木谷さんには、会うたびに『現状で満足しているわけじゃないよな?』と問われる。世の中はまだ課題だらけだ。世の中をより良くするために自分もまだまだやる。だから南ももっと頑張れ、と」

果てしない経営者としての生命力、あくなき事業意欲を持ち続けることが、世の中を変える最大の要素かもしれないと、三木谷の生き方を見て、南は憧れていた。

三木谷自身は、問いの立て方について、こう考えている。

――大義名分が大切だ、ということでした。

「ヨーゼフ・シュンペーターという経済学者の言葉で、アントレプレナーだけが世の中を変えるというものがあります。アントレプレナーの和訳は起業家ではなくて、実業家です。実業によってしか世の中は変わらない。政治では世の中は変わらないんだと思っています」

「実業家のなすべきこととは何ぞやといえば、それはやっぱり社会を良くすること。それが欠けていては、事業として意味がないとは言わないけれど、世の中を変えていくことはできない。それが自分のスタイルということなのかもしれない。人間には迷いもある。立ち止まるときもある。それでも、俺たちがやりたいことはこれなんだということを明確にしておく。錦の御旗が重要だということです」

――「王道でやる」ことの真意は何ですか。

「しっかりした土台をつくりながら、それを実行するということです。骨組みが堅牢なビジネスをつくらないと、人間は弱いからすぐに短期的な利益を追い求める組織になってしまいます。小手先のアイデアだけで続けようとしても、いずれ行き詰まります」

「楽天も、最初は会員ビジネスを軸に、地方の経済を活性化するという大義で始めて、それを基盤に事業を発展させていきました。今振り返っても、基盤となる枠組みとフレームワークがあったから事業を大きくできたし、正しい方向に進ませることができた。これはちょっと儲かりそうだからやってみよう、という話でいろんな事業に手を出していたら迷走するし、そういう組織では長期的に社員のモチベーションや求心力が落ちていきます」

――無数にある課題の中からどの課題に取り組むのかを選ぶ判断基準は何ですか。

「僕自身がおもしろいと思えるか、というのが大きいです。例えば、楽天市場をモール型ではなくマーケットプレイス型のビジネスモデルにしたのは、地方の中小店舗でも日本全国に向けて商売ができるようにするためです。そういう世界をつくると痛快だよね、おもしろいよね、と思ったことがきっかけです。そんな世界ができたときに、地方商店のおじいちゃん、おばあちゃんが笑顔になれる。誰が幸せになるかを考えているのも、大きいかもしれない」

――経営者の質は何で判断できるのでしょうか。

「経営者というのは、決断の量とスピードで大体決まります。今取り組んでいる携帯電話事業も数千億円規模の巨大なビジネスですが、それをやるかどうかを瞬時に決められるか。そのためには日々、多くの情報を仕入れて考え続ける必要があるし、リスクを積極的に取っていこうと考えるマインドセットも必要になる。サラリーマン経営者だと、やっぱりリスクを回避しようと考えがちですよね。その点、実業家はチャンスに大きな決断ができます」

「人間が意思決定をする際にはアクセルとブレーキがあると思うんだけど、実業家って、ブレーキが壊れている人が多いんですね。頑張ればいけるんじゃないの、と。あとはしつこい(笑)。勝つまでやり続けるから、何回倒れてもあきらめない。だから失敗は失敗じゃなくて経験になるんです。それが実業家の資質というか、一つの要件かもしれないですね」

――実業家のおもしろさはどこにありますか。

「僕にとっておもしろいというのは、ファン（fun）ではなくて、フルフィリング（fulfilling＝充実）。死ぬ間際になって、『ああ、やってよかったな』と思えればいいんじゃないですか」

「社会課題を解決するという大きいモチベーションはあるけれど、やっぱりそれが楽しい、おもしろいと思えるから色々なことを考えられるんです。意図的に何かやっている感覚はありませんね」

門外漢でも、世界を変えられる

楽天イーグルスでの経験を通して、南が得た学びは多かった。

取り組むべき事業の本質とは、ボウリングのセンターピンのように本当の課題を特定することと、走り出すべき打ち出し角度を決めること。そして、これらを見誤らないように徹底的に調べること。

ほかのものを一生懸命頑張っても、本質がずれていれば何の意味もない。

「何かを始める際は脊髄反射で、調べ抜くことから始めるようになった」と南は言う。

もう一つの学びは、門外漢でも世界を変えられるということだ。

プロ野球界に全く経験のない人が多く集まったチームでも、期待以上の成果を上げられた。むしろ業界を外から見たからこそ、新しいアイデアを試すことができた。これまでは非常識だと思われていたことも、徹底的に調べ、仮説を立てて試しながら実績をつくっていけば、ゲームのルールそのものを変えられる可能性がある。この経験は、南に一つの確信を与えた。

ただ、こうした学びにも増して南の人生に大きな影響を与えたのは、実現不可能だと言われていた球団の初年度黒字化を達成できたという自信だった。

三木谷、島田、小澤からは日々、無理難題が降ってくる。

がむしゃらに課題に取り組み、何度も挫折し、放り出しそうになっても、あきらめずに困難に立ち向かっていけば、何とか道が開けていく――。

そんな経験を幾度となく繰り返すうちに、「できないことなんてない」と自分を信じられるようになっていた。

「世の中に不可能があるとするなら、それは自分がそう思っているからだということを、つくづく理解した」と南は言う。

南と共に働いたスターフェスティバル代表の岸田も考えは同じだ。

「今でも大きなことを成し遂げようとするときには必ず否定的な意見が出る。でも大抵は楽天イーグルスの状況と比べれば何ともない。自分の中で難しいと思うことのハードルが劇的に下がった」

これは、楽天イーグルスの創業に関わった人間の総意だろう。

三木谷、島田、小澤の3人は、今なおそれぞれの持ち場で戦い続けている。

小澤は、2006年に楽天グループを退社し、かねて挑戦したいと願っていた劇団四季のオーディションを受ける。残念ながら落選し、その後はＳＮＳマーケティングのスタートアップ、クロコスを創業。その会社がヤフーに買収されたことで、ヤフーの経営に参画した。

ヤフーのショッピング事業の責任者となり、ショッピング事業をメディア事業に並ぶ柱に育て上げ、2019年にはヤフーのCOO（最高執行責任者）に就いた。

島田は2012年に楽天野球団から楽天グループ全体の経営に参画し、楽天本社の副社長を経て、2017年にインテリジェンス創業時の仲間だった宇野康秀が経営するUSEN-NEXTホールディングスの副社長に就任した。

三木谷も携帯電話市場に参入し、ほかにもがん治療など、医療分野の新事業でも果敢に攻め続けている。

彼らのほかにも、楽天イーグルス時代の仲間の多くが、その後に起業して経営者になった。かけがえのない体験をした南は、自分なりの課題を見つけるため、2007年に楽天野球団を退社。新たな道を進むことを決める。

「ベースボール・エンターテインメント・カンパニー」を掲げ、見事に初年度の黒字化を果たした楽天イーグルス。

だが、南が本当にその成果を実感したのは退職した後の2011年、東日本大震災でのことだった。

震災後、楽天イーグルスは東北復興の旗印となり、1年半後には日本シリーズを初めて制し、優勝を果たして地元の人々を大いに勇気づけた。

自分たちがつくった事業が、人々の生きる力となった——。

その事実に、南は素直に感動した。

「楽天イーグルスで自分が学んだように、自分たちの会社も大きな志を持ち、社会の課題を解決する場にしたい」と南は言う。

ただし、このときはまさか自分が会社を起こすことになるとは露ほども思っていなかった。

第三章

ビズリーチ創業

門外漢だから見えた勝機

三木谷浩史、島田亨、小澤隆生。

スタイルこそ違うが、課題を探り当てる3人の行動原理を間近で学んだ南壮一郎は、ビズリーチの起業を通して、「問いを立てる」フレームワークをブラッシュアップしていく。

それは端的に言えば、次のような3つのステップを辿る。

①自分の問題意識に引っかかる課題を見つける（トリガーを引く）
②課題を徹底的に調べて要素分解をし、本質を見極める（センターピンを見つける）
③本質的な課題解決の方法を考えて端的な言葉や数字で表現する（打ち出し角度を決める）

南の課題発見はまず、本人に内在する問題意識から始まる。

「なぜ、あの球団は成功しているのか」「本当の顧客は誰なのか」——。

楽天イーグルスで小澤が自分の抱いた疑問から課題を見つけたように、南も自分の中に浮かんだ喜びや怒り、不満や悲しみといった感情が、課題発見の着火点となっている。

「日々情報に触れていると、時々、ピンとくる話題やニュースがある。『これって何でそうなっているんだっけ』といった具合に引っかかり、掘り下げていくと課題の端緒が見えてくる」

南本人は問いが生まれる瞬間を、思考を発動させるという意味で「トリガー（引き金）が引かれる」と表現する。

「これはおもしろい、これは格好いい、これはうらやましいなという感情から意識が呼び覚まされて、ある瞬間にトリガーが引かれる」

トリガーとなる課題の〝タネ〟が見つかったら、次はそれを徹底的に調べ倒して深掘りしていく。最初はマクロの視点で幅広く、政府の白書や研究機関のリポートなどを読み込みながら、課題を構造で捉えていく。その後、ポイントを絞り込み、ディテールをひもといていく。楽天イーグルス時代に小澤から学んだ「要素分解」に相当する作業だ。

分解した要素をさらに細かく調べ、本質に辿り着くまで繰り返す。最終的に課題のセンターピンを見つけ出すことが、2番目のステップのポイントだ。

センターピンを探し当てたら、最終段階の打ち出し角度の決定に進む。

ここでは、課題の本質を分かりやすく端的な言葉で表現する。いわば企業ミッションや事業コンセプトを決める作業だ。

楽天イーグルスでは目指す球団の方向性を「ベースボール・エンターテインメント・カンパニー」として、ベンチマークを他球団ではなく、ディズニーランドや居酒屋とした。仕組みやビジネスモデルが明確なほど、課題解決に向けたベクトルは、はっきりする。目指す方向や解決策を端的なフレーズで表現することで、周囲に浸透しやすくさせる。加えて、目標に至るまでのプロセスを数値化して測定できるようにして、達成度合いを客観的に評価できるようにする。

この一連の流れを基本動作として、南はこの先、次々と新事業を立ち上げていく。

トリガーを引く——転職市場に抱いた疑問

2007年5月、楽天イーグルスを退職した南が次の挑戦の舞台として選んだテーマは、日本の働き方だった。

辞めた直後、この先1年間は働かないと決めていた南は、世界を旅しながら興味のある分野について片っ端から調べていった。環境、エネルギー、医療……。業界のリポートや政府刊行物、投資家向けの報告書を丹念に読み込み、次のビジネスの可能性がどこに転がっているかを探っていった。

マクロの視点から社会や産業の動きを分析する際、南は次の二つの要素に着目する。

一つは社会構造の変化。少子高齢化など人口動態の変化が一例だが、それまでの社会システムが前提としていた条件が変化するとき、大きなひずみとチャンスが生まれる。

もう一つは技術の進化だ。インターネットやAI（人工知能）の台頭によって、まさに今、我々が目の当たりにしているように、既存の産業構造がガラリと変わる際にも、大きな機会が生まれる。

ただし、最初に調査対象としていた産業はどれもピンとこなかった。医療やエネルギーなどは市場が大きく、取り組むべき社会的意義もある。インターネットによって産業構造が変わっていくことも自明だった。

それでも、自分の中で「これだ！」という手応えがなかった。そんな南が転職市場に注目するようになったのは、いくつかの偶然が重なったからだ。

海外セミナーで見つけた鉱脈

一つ目のきっかけは、２００７年６月。南は米ボストンにある「アカデミー・オブ・コンペティティブ・インテリジェンス」という情報機関の集中セミナーに参加していた。この組織は、主に企業の経営企画部門などで働く幹部社員向けに、「ビジネス・インテリジェンス」と呼ばれる最先端の情報収集・分析手法を教えていた。

自社が数年後、どのような競争環境に置かれるのか。現時点で取り得る限りの情報を集め、それを分析して戦略を立てるのがビジネス・インテリジェンスの要諦だ。

ヤフーを傘下に持つZホールディングス社長の川邊健太郎らが当時、友人と開催していた勉強会で、「ビジネスのインテリジェンスを学べるおもしろいセミナーがある」と紹介され、参加者たちのカンパで英語が堪能な南が派遣されることになった。

どの授業も南の興味を引いたが、その中でも一際印象に残るものがあった。それが当時、米国で流行していた「LinkedIn（リンクトイン）」と呼ぶSNSをビジネス・インテリジェンス活動に生かす講座だった。

リンクトインは、ビジネス版フェイスブックとも呼べるサービスで、利用者は自分の詳細な職務経歴などをリンクトインで公開し、サイト内でビジネス上の人脈を構築していく。

授業では、リンクトインを活用して特定の業界や企業の関係者を見つけ出し、インタビューなどの一次情報を集めながら情報を構造化するといった実践的なテクニックを教えていた。ただ、南は授業の内容よりも、リンクトインのビジネスそのものに強い興味を持った。

一体、リンクトインはどのようなビジネスモデルを展開しようとしているのか――。

調べてみると、収益の要は利用者が登録する職務経歴情報などの膨大なデータベースにあった。リンクトインはこの職務経歴情報を、人材を採用したい企業に向けて提供し、企業が直接、利用者にコンタクトできるサービスを有料で提供していたのだ。

数年ごとに仕事を変えることも珍しくない米国では、ビジネスパーソンは普段からリンクトインに職務経歴情報を登録し、企業から直接声が掛かってキャリアの選択肢を模索する。この仕組みは「ダイレクト・ソーシング」と呼ぶ採用手法として知られるようになっていく。

リンクトインは米国で急成長していて、仕事探しやビジネス情報のスタンダードになりつつあった。

日本でも、リンクトインに似たサービスを展開できないか。帰国した南は、その実現性を調査した。

当時、日本でもSNSが広がり始めており、日本発のビジネスSNSを提供するスタートアップもあった。しかし、関係者にヒアリングを重ねた結果、日本でリンクトインのようなサービスを広げるのは難しいとの結論に達する。

日本では、実名で自分の職務履歴情報を公開することに抵抗感を持つ人が多い。そもそも、転職がそれほど盛んではなく、人材の流動性は米国とはケタ違いに低かった。ただし、登録情報を非公開にした形なら、ヘッドハンターにとっては有益なサービスになるかもしれない――。

可能性のあるアイデアではあったが、具体的な構想として動き出すにはまだ不確実な要素が多かった。

「草ベンチャー」仲間のアドバイス

二つ目のきっかけは、当時交流していた仲間との会話だった。

楽天イーグルスを辞めた後、南は知り合いを集めて、勉強会と称した情報交換の場を設けていた。平日夜や週末にファミリーレストランなどに集まり、ドリンクバーのジュース片手に数時間議論をする。その週に仕入れたとっておきの企業やビジネスモデルの情報、新たな事業について仲間と話しながらアイデアを練っていた。

南はこの集まりを「草ベンチャー」と呼んでいた。草野球よろしく、仲間同士がボランティアで新事業を企画するサークルのような集まりだ。

起業やスタートアップに人生を投じる覚悟はないが、一緒に新しいことをつくり上げる体験がしたい。そんな若手社会人を集め、ブレーンストーミングをしていたのだ。

米国のセミナーから帰国すると、南は草ベンチャー仲間にリンクトインの一件を話した。

参加していた仲間は、ビジネスＳＮＳを日本で展開することの難しさには同意したものの、人材データベースを活用したビジネスモデルには可能性があるのではないかと主張した。

「専門スキルがあり、本気で仕事を探す求職者だけの人材データベースがあれば、ヘッドハンターは喜んで使うのではないか」

参加者の意見を聞きながら、南はプロ野球のフリーエージェントの仕組みについて考えを巡らせた。

「海外のプロ野球では、選手は自分にベストな球団に移籍するために、お金を払ってエージェントを雇う。同じことが、ビジネスの世界でも起こせるだろうか」

ただ、この時点ではあくまでも思考実験であり、自分が起業するとは考えていなかった。

「全員、言うことが違った」

最後のきっかけは、南自身が人材紹介会社のヘッドハンターを通じて転職活動をしたことだった。

楽天イーグルスで働いたことで、インターネットの可能性を知った南は、ネットを有効活用して社会構造にインパクトを与えられそうな企業への転職を希望していた。

ヘッドハンターは、求職者の経験やスキル、希望を見極めて、合いそうな会社を紹介するプロフェッショナルだ。それまで転職活動をしたことがなかった南は、キャリアの方向性が明確に決まっていない自分にも、きっと有意義な仕事を紹介してくれ、新たな道を定めてくれるだろうと勝手に期待していた。

ところが、ヘッドハンターに会えば会うほど、無数の選択肢が広がっていく。

あるヘッドハンターは投資ファンドの幹部職を推薦してきた。ところが別のヘッドハンターは、外資系のエンターテインメント企業がふさわしいと言う。みんな真剣に選択肢を模索してくれたが、次から次へと出てくる選択肢は、業界も職種もバラバラだった。

結局、1カ月で27人のヘッドハンターと面会したが、同じ会社の同じ仕事が紹介されることは一度もなかった。

よく言えば南の多才ぶりを反映しているが、南自身は疑問の方が大きく残った。

なぜヘッドハンターは、人によってこうも紹介してくる仕事が違うのか——。しかも、ヘッドハンターたちは、狙いを定めたようにピンポイントで特定の会社を紹介してくる。

「色々な選択肢を提示してもらえること自体はうれしかった。だが本当にこれが僕のすべての選択肢なのかと疑問に思った」と南は振り返る。

例えば、プロ野球で人気選手がフリーエージェント宣言をすれば、日米多くの球団からオファーが殺到する。選手はどの球団から、どんな条件のオファーがあったのかを把握した上で契約先を決められる。それなのに、ビジネスパーソンはそもそも「新しい職場を探している」という状況を企業に伝える術もなければ、自分に興味を持つ企業がどのくらいあるのかさえ分からない。

「転職市場そのものの透明性が低いと感じざるを得なかった」と南は語る。

転職活動で抱いた疑問

転職という人生で大事な決断なのに、ヘッドハンターの提示する限られた選択肢の中から進路を決めなくてはいけない。そもそも、自分にはどんなキャリアの選択肢や可能性があるのかも分からない。

全体像が見えにくい中で選ぶ仕事の納得感は低く、ヘッドハンターだけに依存した仕事選びに窮屈さを感じた。

さらに問題の根幹を深堀りしていくと、多くの日本人はなぜ、主体的に仕事を選びキャリアを構築しないのかという疑問に辿り着いた。

海外とのギャップもあった。楽天イーグルスを退社した後、久々に会った米国の大学時代の友人は、自分のキャリアについて熱っぽく語ってくれた。

「こういうキャリアをつくるために、こんなことをやってきた」

「今はこの仕事をしているが、3年後にはこういう仕事につなげていきたい」

目を輝かせ、生き生きと未来像や夢を語っていたのだ。

しかし、当時日本で自分のキャリアプランについて話す人は少なく、自分の市場価値について語る人も皆無だった。

「もったいない。日本にだって熱くて優秀なビジネスパーソンがたくさんいるのに。キャリアの選択肢は多様でおもしろいものなのに」

なぜ、働き方の選択肢がこれほど狭く感じるのか。転職活動を通して、そんな不満が南の中に鬱積していった。

様々なきっかけが重なり、問いのトリガーが引かれつつあった。

「これが課題を見つけ出す感覚か」

自分の転職活動を通して、日本の働き方に違和感を抱いた南は、改めてその実態と歴史を調べてみた。すると、興味深いことが分かってきた。

まず、日本の働き方の窮屈さは如実に数字に表れていた。

ＯＥＣＤ（経済協力開発機構）が２００７年に発表した調査によると、日本の労働生産性は加盟30カ国中20位。先進７カ国中では最下位だった。日本では長時間働くことが当たり前だが、その割には価値を生み出していないことが、調査結果で明らかだった。

厚生労働省の労働白書やシンクタンクの調査報告書などを調べてみると、生産性の低さの原因が記してあった。それは端的に言えば、終身雇用と年功序列という日本型雇用システムの制度疲労に起因するものだった。

かつて日本の経済成長を支えた雇用システムは、国民の寿命が今ほど長くなく、情報の流れが緩やかだった時代に適したシステムであり、経済が右肩上がりに伸びていくことを前提としていた。

しかし、１９９０年代にバブルが崩壊し、日本の経済成長は長い停滞局面に入った。同時に、日本の基幹産業は製造業からサービス業に移り、医療技術などの発展を背景に、国民の寿命は飛躍的に伸びた。それ以降、これらの制度の綻びが目立ち始めていた。

少子高齢化が進む中では、いずれこの仕組みが行き詰まることは明らかだ。一方で、企業の競争環境は情報技術の進化とグローバル化によって激変しつつあった。

あらゆる産業がインターネットによって変革を迫られ、デジタル化の波が広がっていく。国境を越えたグローバル競争も激しくなり、脱落した企業は淘汰を余儀なくされていく。

大企業であっても変化に乗り遅れれば消えていく。適者生存の原理にのっとれば、恐らく今後生き残れる日本企業は限られるはずだ。

人間の寿命が長くなる一方で、企業の寿命はますます短くなっていく。今後は日本のビジネスパーソンが一つの会社で一生勤め上げるのは、著しく難しくなる。日本の伝統的な雇用制度は変わらざるを得ない。転職市場は近い将来、さらに拡大する――。

その瞬間、南の中にピンとくるものがあった。

「とても興味深い領域だと思った。転職市場をきっかけに、日本の働き方の未来をつくる仕事ってすごくおもしろいなと感じた」

調べれば調べるほど、問題意識は強くなっていった。

「ああ、この感覚が多分、楽天イーグルス時代に三木谷さんたちが言っていた大きな課題を見つけるということなんだろうな、と。入り口は違うけれど、どうしたら日本の働き方を未来に向けて再定義できるのか、興味を持ち始めた」

南の中で、問いのトリガーが引かれた瞬間だった。

ヘッドハンターが生まれた理由

人材業界で働いたことはなかったが、楽天イーグルスの経験を通して、課題のセンターピンを探り当てる術は知っている。南は調査を加速させた。世界中の資料を読み込み、まずは人材業界の全貌を掴んでいった。

楽天イーグルス時代と同じように、人材業界のプレーヤーである人材紹介会社、企業、求職者ごとに要素分解をしながら業界関係者やキーパーソンに会い、歴史をひもといていった。

ヘッドハンティングは、もともと1930年代に米コンサルティング会社マッキンゼー・アンド・カンパニーが始めた事業だと言われている。戦略コンサルティング事業を補完するサービスとして、自分たちが立案した戦略を顧客に提案する際、計画を執行する適任者を探したことが起源だった。

そこからコーン・フェリーやエゴンゼンダーといった企業が生まれた。コーン・フェリーは創業者二人の名字を取った社名だが、共にマッキンゼー出身。エゴン・ゼンダーもボストン・コンサルティング・グループ出身だ。

戦略コンサルティング会社から派生したこれらの企業が展開するビジネスは、やがて「エグゼクティブ・サーチ」という言葉で定着していく。だから今も、これらの業務に就く人の肩書はコンサルタントだ。

会社経営の要である経営人材を探すエグゼクティブ・サーチは、現在も企業のニーズが高い。ただし日本における人材紹介業は、経営幹部だけでなく、幅広い業種や役職に広がり、独自の進化を遂げていった。

転職業界がブラックボックス化する必然

南は歴史をひもときながら、転職活動で感じた窮屈さの正体を探っていった。

なぜ、ヘッドハンターは南に対して、それぞれ異なる仕事を提案したのか。なぜ、親身に寄り添ってくれるのに、自分に適しているすべての選択肢を提示してくれなかったのか。調べてみると、理由は案外単純だった。

それは、ヘッドハンターのビジネスモデルに起因していた。要するに、誰からお金をもらっているかということだ。

ヘッドハンターは、依頼主であるクライアント企業から料金を支払ってもらう。ビジネスモデルを理解すれば、ヘッドハンターが求職者ではなく、クライアント企業のために働く採用支援コンサルタントであることが理解できる。

ヘッドハンターはクライアント企業のためにベストな求職者を探し、クライアント企業のために求職者の相談にも乗る。

もちろん、高いプロ意識を持ち、クライアント企業と求職者の両方が納得するマッチングを大切にするヘッドハンターも大勢いる。だが、最終的な料金がクライアント企業から拠出されている以上、クライアント企業のニーズを優先することは、構造上、当たり前のことだ。

南が会った30人近いヘッドハンターがすべて異なる提案をしたのも、それぞれのヘッドハンターに異なるクライアント企業が付いていたからだ。

しかし、それでも疑問が残る。

あと何人のヘッドハンターに会えば、自分の選択肢と可能性をすべて知ることができるのか。転職という人生の大切な局面で、こんな情報のブラックボックスが存在するのか。これは求職者にも、企業にも大きな機会損失に違いない。

この課題を解決するには、どうすればいいのだろうか――。

明確な答えは持ち合わせていなかったが、求職者と企業、双方の情報やニーズが可視化され、互いが納得できる形で多くの選択肢の中から選べる仕組みがあればいい。そんな構図が南の中に、ぼんやりと浮かんだ。

ラダーズというお手本

求職者の中には、あらゆる選択肢の中から自分に合う仕事を選びたいと思っている人もいるはずだ。そんな本気の人だけを集める有料の転職サイトは存在しないものだろうか。

それは、インターネット上の婚活サービスとも似ている。本気で結婚相手を探している人は、お金を払ってでも出会いを求める。同じように求職者がお金を払うサイトなら、きっと転職に関心のある質の高い人材データベースとなり、高水準のマッチングが期待できるだろう。そう思い、海外まで調査の網を広げてみると、実際にそんなサイトが存在した。

「TheLadders.com（ザ・ラダーズ・ドットコム）」というそのサイトは、南が想定していたような個人課金型の転職サービスを展開していた。

思い切って、問い合わせ先に面会依頼のメールを送ると、社長から直接、返信がきた。会ってもいいという。

翌々週にはニューヨークに飛び、ラダーズ社長のマーク・セネデラから話を聞いた。セネデラは、予想以上に南を歓待してくれた。そして、南が仮説として考えていた、企業にとって質の高い人材データベースを構築する構想について話すと、まさに同じことを考えて起業したという。さらにセネデラは、サービス設計の肝として、リンクトインのような、求職者と企業を直接結びつけるプラットフォームを目指していることも明かしてくれた。

この瞬間、南の中で取り組むべき事業と課題の焦点が定まった。

セネデラは、サービス立ち上げの経緯などを教えてくれた上、日本で事業を展開するなら、支援してくれるという。ラダーズがベンチマークにするビジネスモデルとして、「マッチ・ドット・コム」という婚活サイトの名を聞けたことも、南にとっては大きかった。

センターピンを見つける——企業が求職者を直接採用する

米国のセミナーで知ったリンクトインの存在と、草ベンチャー仲間との会話、そしてラダーズ社長から学んだこと。これらの点がつながり、南の中で課題のセンターピンが徐々に見えてきた。

「求職者と企業が直接つながる仕組みをつくり、双方の選択肢と可能性を最大化すること」具体的には、求職者と企業をつなぐオンライン・プラットフォームを、日本の転職市場に合わせた形で構築することが課題解決のカギになると考えた。

これからの時代は、自分の市場価値を知り、自分で主体的にキャリアをつくる必要がある。新卒でどこに入社するのか、転職でどこに移るのか、同じ会社で一生働き続けるのか。これらは大切な選択肢である。

重要なのは、今、自分にどんな選択肢があるのかを理解した上で、キャリアを自分で決めることだ。そのために必要なのは、個人が仕事を選ぶ選択肢と可能性を増やすことだ。選択肢が可視化されれば、キャリアを主体的に考える人も増えるはずだ。

主体的にキャリアをつくりたいビジネスパーソンの人材データベースを構築し、企業に直接、開放することができれば、登録した求職者の元にはこれまで知り得なかった情報が届くようになる。多様なキャリアの選択肢があると分かれば、自分にとってベストな判断ができるはずだ。

企業にとっても、より多くの中から欲しい人材を直接選べるため、より早くより効率的に、採用活動を進めて会社を成長させていける。

個人にとっても企業にとっても、多くの選択肢の中からチャンスを掴み取れるメリットは大きい。何より、これまでのような硬直化した日本の働き方から脱し、世界と戦える生産性の高い国に生まれ変われるはずだ。

こうして、課題のセンターピンを定めていった。

打ち出し角度を決める——即戦力人材に絞り込む

求職者に課金する点に加え、もう一つこだわったのが、対象であるユーザーを絞り込むことだった。

「幅広くやっても絶対に勝てない。まずは年収の高いプロフェッショナル人材を狙おう」

求職者の中にも、優れた経歴を持ち、お金を払ってでも自分に合う仕事を探したいと思っている人は一定数いるはずだ。そんな本気の人だけが集まる場にする。

手本は既に米国にある。南が構想していた人材データベースは、いずれ米国のリンクトインのように、企業が直接アクセスしてほしい人材を探せるようになっていくはずだ。まずはその入り口として、ラダーズ・ドットコムのように、プロフェッショナルに限定したデータベースを構築し、求職者に課金する形で始めようと考えた。

課題の本質が見えてくると、最終的にはインターネットで完結する次のようなサービスの構想を固め、打ち出し角度を固めていった。

・求職者がお金を払うこと
・対象は年収１０００万円以上のクラスの即戦力人材に限定し、会員登録で審査すること

・価値は人材データベースにあり、最終的には企業が直接利用できる仕組みにすること
・採用する側の企業や人材紹介会社は無料で利用できること

サービス開始にあたって、当初はほかのどのサービスよりも高収入での求人の掲載件数が多いことを目指し、ヘッドハンターの利用を想定した。

みんなが反対するほど燃える

意気込んでサービスの準備を始めた南だったが、このアイデアを披露しても周囲の反応は芳しくなかった。

「絶対にうまくいかない。やめておいた方がいい」

そんな異論が、草ベンチャー仲間からも噴出した。島田や小澤といった楽天イーグルス時代の先輩でさえ、最初は難色を示した。

「今さらインターネットビジネス？　10年遅いんじゃないか」

しかし、厳しい言葉を受けるたびに南は燃えた。そもそも、こうした反応は何度も経験している。「がむしゃらに頑張れば、この世に不可能はない」という信念がふつふつと湧き上がってきた。

ただし、自分自身が起業するのかという点については、最後まで迷っていた。

「起業は合理的に考えるとあまりメリットがない。成功確率は低いし、途中で辞められない。自分に向いているとも、やりたいとも思っていなかった」

むしろ自分に向いているのは、プロデューサーのような役割だ。好きな仲間と、好きなときに、社会にインパクトを与えるような仕事がしたい。しかし、そうした仕事は待っていても回ってこない。ムーブメントを起こすためにもっとも確実な方法は、やはり自分でゼロから事業を立ち上げることだった。

もう一つ、起業へと南の背中を押したのは当時の仲間や先輩の存在だった。特に影響を受けたのが、スマートフォンゲームのグリーを創業した田中良和だ。田中は創業前からの盟友で、道を挟んだ向かいのマンションに住んでいたこともあった。

「グリーを始めた後、インターネットの未来や会社の未来を熱く語る姿を、格好いいと感じていた」と南は明かす。

最終的な決定打になったのは、親友の岩瀬大輔が立ち上げたライフネット生命保険だった。

「ハーバード大学でＭＢＡ（経営学修士）を取った人間も起業するのか、と。自分が挑戦しない理由はなぜか、と考えるようになっていった」

自分も、やるからには、とことんやってやる。ファミリーレストランのドリンクバーでコーラを補充しながら、南は自分に誓った。

立ちふさがる「誰とやるか」の壁

ところが、ここでいきなり大きな壁に突き当たる。事業を立ち上げる仲間が見つからなかったのだ。

いくら課題が明確で、取り組む大義があったとしても、一人でやれることには限界がある。他方、多くの優秀な仲間を巻き込んでいければ、一人では到底、解決できないような課題に取り組むことができる。どんな課題を設定するかは大切だが、誰とやるかはそれ以上に大事だ。

人材業界を調べ尽くし、自分なりの問いを磨いて動き出した南は当初、問いの立て方さえ決まれば、一緒に取り組んでくれる仲間は自然と集まるものだと思い込んでいた。

しかし、それは甘い考えだったとすぐに気づく。

課題を発見しただけでは人は集まらない。仲間を見つけるには、課題を解決することがなぜ大切かを理解してもらわなくてはならない。さらに、課題解決を通して互いに何を達成したいのかというビジョンも共有しなくてはならない。こうした点に徐々に気づいていく。

最初はそもそも、そんな仲間がどこにいるかも分からなかった。

「事業づくりって、問いを見つけるだけでは何もできない。そんな当たり前のことを、改めて認識した」

南にとって仲間探しが大きな壁となったのは、狙いを定めた業界が、自分が経験した業界とは無縁の領域だったという事情もある。人材とインターネット、いずれの業界にも土地勘がなく、自力で事業を起こすのは事実上、不可能だった。

起業にあたっては、学生時代の仲間に声を掛けることも珍しくない。ところが、南は米国の大学を卒業していたため、声を掛けられる人が国内にいなかった。

「特にインターネットのサービスをつくれるエンジニアは、周囲に一人もいなかったし、どこにいるのか見当もつかなかった」

しかし、南はあきらめなかった。

とにかく、声を掛け続ければ興味を持ってくれる人は現れるだろうと考え、行動に移していった。

発信すると情報が集まる

仲間探しを続ける中で、南は次第に仲間づくりに欠かせない原則を見つけ出していく。人を巻き込む条件は第一に、誰よりも熱意を持ってビジョンを語ることだ。自分がいかに本気で課題を解決したいと思っているのかを理解してもらうことが、共感を呼ぶ第一歩となる。

ビズリーチ創業後、南はとにかく会う人に片っ端から事業構想を語った。様々な勉強会や交流会に参加し、興味を持つ人を見つけては、求職者と企業を直接つなぐサービスのコンセプトを語り続けた。その数は優に100人を超えていた。

大半は、南の話を聞いてもピンとこなかったようだが、それでもあきらめずに共感してくれる人を探し続けた。情報は、発信しなければ集まらないということを知っていたからだ。発信を続けていれば、それを聞いた誰かが課題に関係のありそうな人につないでくれるかもしれない。同じ話を何百回と繰り返しながら、共感者が現れることにかけた。

そして、ついに興味を示してくれる男に出会う。それが2番目の創業メンバーとなる佐藤和男（現ビジョナル執行役員）だった。

佐藤は当時、ジョブウエブという就職活動支援のスタートアップで働いていた。ゆくゆくは自分で起業することを計画していた佐藤は、日本マイクロソフトやリクルートを経て、ジョブウエブで新事業の立ち上げを準備していた。

当時はマーケティング活動の一環として、早朝に若手ビジネスパーソン向けの勉強会を主催していた。知人の誘いで勉強会に参加した南は、佐藤に話し掛けた。すると佐藤はすぐに南に興味を持った。

「サービスのコンセプトもそうだが、とにかく、南壮一郎という人物が語る世界観がおもしろいと思った」

南は人材業界、インターネット業界には全く足場がないのに、課題を調べ抜いていた。立ち上げようとしているプロフエッショナル人材に限定した求職者課金型の転職サービスは、確かに転職市場の常識からは考えられない暴挙にも映るが、論理的に考えれば、日本の働き方を変える可能性は十分にある。

何よりも、バイタリティが半端ではない。この男ならやり遂げてしまいそうな勢いがある。事業構想以上に、南の人柄と熱意に興味を持った佐藤は、その後、2回の面会を経て、南の最初の仲間となることを決めた。

「自分が楽天イーグルスで味わった、事業を通じて世の中が変わる瞬間を、お前にも味わわせたい。それは絶対に約束すると言ったことを、よく覚えている」と佐藤は言う。

信頼は相手の話を聞くことから

解決したい課題を明確にして情熱をもって語ることが、人を巻き込む最初の一歩となる。だが、それだけでは賛同者を増やすことはできない。

自分の考えだけではなく、相手の立場に立ち、その事情を勘案できる包容力がリーダーには求められる。相手の話を聞き、求めているものに応える力も、人を巻き込むには不可欠な条件だ。

南にその重要性を気づかせたのは、創業メンバーの一人である永田信（現ビジョナル・インキュベーション社長）だった。

落ち着いた雰囲気を漂わせる永田の性格は沈着冷静そのもの。感情を全開にする南とは正反対のタイプだ。

永田は南と出会った当時、ラダーズ社長のセネデラが話題にしていた婚活サイト、マッチ・ドット・コムの日本支社でCOO（最高執行責任者）を務めていた。ソニーミュージックでインターネットを使ったサービスやマーケティングに従事した後、AOLジャパンやヤフーなどのインターネット企業で経験を積んだ永田は、その後、マッチ・ドット・コムの立ち上げを軌道に乗せ、キャリアも充実していた。将来は起業してみたいという思いもゼロではなかった。

ただし、永田は自分の性格を知り抜いており、自ら創業社長となって仲間を集めたり、組織を引っ張っていったりするタイプではないこともわきまえていた。将来的には外資系企業の日本代表、あるいは優秀な社長のナンバー2として番頭役を務めるのが自分には適任かもしれないと考えていた。

そんなときに、南が現れた。

南は、永田がマッチ・ドット・コムで働いていたことを知った上で接触してきた。手本としているラダーズがマッチ・ドット・コムをベンチマークにしていることを明かした上で、永田にぜひ手を貸してほしいと頼み込んだのだ。

熱弁する南を見て、永田も佐藤と同じように南の人柄に興味を持ったと言う。構想している事業もユニークだし、ネットサービスの立ち上げやマッチ・ドット・コムのノウハウを生かすこともできるだろう。ただし、即座にオーケーとは言わなかった。

永田は、南が仲間として信頼に値する相手か試すことにしたのである。

「理路整然とした話しぶりや前向きなキャラクターに興味を持ったが、一方で、彼の実力を見極めてみたいとも考えた」と永田は振り返る。

相手の期待に応えられるか

そして、次に会うときまでにビズリーチの事業計画書を用意するように依頼した。

今、なぜ、この事業なのか。事業の将来性はどれほどあるのか。論理的な根拠を交えて教えてほしい——。

「計画通りになるなんて思っていないけれど、どの程度計画をつくれるのかという見極めにはなる。ビジョンと情熱、ロジックがあり、必要条件、十分条件まで考え抜いているかを試した」と永田は明かす。

翌日、南は徹夜でつくり上げた事業計画書を永田に手渡した。それを見て、永田はすぐに納得する。

「計画書を見た第一印象で、これなら一緒にやっていけると思った。構想をすぐに計画書に落とし込めるかどうかしか見ていなかったので、内容は正直、覚えていない」

南の構想力や突破力に自分のインターネットの知見を組み合わせれば、おもしろいことができるかもしれないと、永田は内心感じた。

人を巻き込むには、時に相手の要望を聞き入れ、それに応えることで信頼を獲得することも必要になる。相手の期待を正しく聞き入れることの大切さを、このとき、南は学ぶ。

結果的に、永田はまず草ベンチャー仲間の一人として、ビズリーチの立ち上げに全面協力することを約束した。

その2年後、ビズリーチがベンチャーキャピタルから資金調達を果たしたタイミングで、フルタイムで参画することになる。

卓越したエンジニアとの出会い

思いを伝え、志に共感して仲間になった佐藤。

要望を受け入れ、ビジョンとロジックを示して事業参画の約束を取り付けた永田。

「押し」と「引き」を交えながら巧みに人を巻き込む経験を積んだ南だが、それでも仲間にできない類の人間がいた。

南とは性格や価値観が交わらないタイプ——具体的には、ＩＴエンジニアと呼ばれる職種の人々である。

南にとって仲間づくりの最難関はＩＴエンジニアをどうチームに巻き込んでいくかだった。

幼少のころから海外で育った南は、自分とは異なるタイプの人間との付き合い方には慣れている。むしろ、自分と違う価値観やタイプの人間と一緒に交流をした方が思わぬアイデアが生まれるし、組織に活力が生まれることは知っていた。

どんな人の輪にも平気で飛び込む前向きな性格は、幼少時からの経験に基づくものだが、人によってはそんなアプローチを若干、暑苦しく感じる。

「エンジニアの多くは、南のようなタイプの人間が嫌いだ。自分も初めて会ったときは、苦手だと感じた」とは、その後、ビズリーチでCTO（最高技術責任者）となる創業メンバー、竹内真の談だ。

「竹内がいなければ、ビズリーチは生まれなかった。彼が会社を牽引したエンジンであり、ビズリーチの精神そのもの」と南が言うように、竹内はエンジニアとして、創業当初のサービス開発を一手に手掛け、ビズリーチの事業基盤や組織文化を築き上げた。

当時、竹内は自ら創業したシステム開発会社を経営し、リクルートなどの大手からも仕事を受注する起業家として活動していた。音楽と芸術を愛するアーティストの側面を持ちつつ、論理的なビジネス感覚も兼ね備えた稀有な人間だ。南のみならず、起業家であれば誰もが竹内をCTOに招きたいと考えるようなスーパーエンジニアでもある。

竹内の評判は、南も早くから聞きつけており、何度かラブコールを送っていた。しかし、いずれもあっさりと断られていた。その理由は、まさに先に述べた南の第一印象によるものだった。

「朴訥なエンジニアから見ると、南は自分たちを利用してやろうという魂胆が見え見えの油断ならないヤツに映った」

積極的な南の振る舞いは、生粋のエンジニアである竹内にマイナスの印象を与えていたのだ。「できるだけ関わりたくないというのが本音だった」と、竹内は明かす。

さらけ出して訴えた「助けてください」

2008年秋、仲間探しに苦労していた南をさらに追い詰める出来事が起きた。リーマンショックに端を発した世界金融危機によって、日本の経済は壊滅的な状況に陥る。そのあおりを受けて、外注していたシステム会社の業績が傾き、ビズリーチのプロダクト開発から離脱すると告げてきたのだ。

後がなくなった南は、永田から「これまで会ってきた中で一番のエンジニアを口説いて、もしそれで断られたら終わりにしよう」と告げられていた。このまま続けても、サービスを立ち上げることは不可能だ。

南は竹内に連絡し、面会の時間をもらう。自分の力不足や不甲斐なさをありのまま語った。そして最後に、竹内の力が何としても必要だと頭を下げた。竹内が、自分のことを好きではないことはよく分かっていた。本人から「嫌いだ」と言われたこともある。

「それでもいいから、力を貸してください」

心の底から助けを求めたことしか覚えていない。

仲間を巻き込むには共感も大切だが、その基盤には信頼が欠かせない。それを築くには、何よりもまず自分が弱さを見せ、ありのままをさらけ出すことが大切になる。

本気で困っている人を見たとき、多くの人は何かしら助けになろうとする。結論を言えば、竹内は窮地に立たされた南を見かねて手を差し伸べた。

「性格的に、目の前にここまで助けを求めている人がいるのに、黙って見過ごすことができなかった。南の語る社会課題に共感したとか、当時はそんな理由ではなかった。もう仕方がない、この人を助けてあげないと、という感じだった」と竹内は振り返る。

一般に、人は「合理」と「情理」という2種類の思考を備えている。

合理とは、いわゆる演繹的アプローチで世界を分析していく考え方だ。論理的な手順を追って物事を説明するスキルのことを指す。一方の情理とは、感情から直接的に生まれる熱意や思いだ。両方を兼ね備えることが優れた経営者の条件であることは言うまでもない。

しかし人を動かすことに長けているのは、情理を備えた経営者の場合が多い。

「世の中をこう変えていきたいから、一緒にやりませんか」と論理的に説明されても、首を縦に振る人は少ないだろう。だが「あなたがいなければダメなんです」と感情に訴えられると人は心が動かされる。その意味で、竹内を最後に動かしたのは南の情理だった。

ビズリーチの経営に参画すると決めた後、南と竹内は、性格や物事の考え方で多くの共通点があることを見つけ、互いを認めていく。意見が合わずに声を荒らげて言い争うことも少なくないが、深いところで信頼の紐帯が切れることはなかった。

南はそれ以降、竹内のアドバイスによって、エンジニアの考え方を本質的に学んでいく。これが、ビズリーチがエンジニアやデザイナーを尊重する企業文化の土台となった。

経営においても、竹内が南に与えた影響は大きい。創業以来、南は自分以外の取締役の過半数を、エンジニアやプロダクトマネジメントの経験のある人材が占めることを経営のルールとしている。インターネット企業なら、大きな意思決定の場に、エンジニアリングやプロダクト開発のことが分かる人間が関わるべきだと考えているからだ。

「インターネットやモノづくりを何も知らない自分が、ビズリーチを創業して成功できた最大の要因は、創業メンバーに出会い、仲間に加わってもらったことにある」

互いの強さと弱さを生かしながら、共通の目標に向かって背中を預け合い、成長していく。この経験を通じて南は、改めて「事業と人はセット」というフレームワークを自分の中に深く刻んだ。

仲間が代われば事業も変わる

実際、竹内と永田が参画した後、サービスは見違えるように変わっていく。

それまで外注していたシステムは、竹内の提案もあって思い切って捨てることにした。その代わり、竹内は一人でゼロからシステムをつくり直していった。

「一人でやるなんて、絶対無理に決まっている」

創業メンバーの一人である園田剛史（現ビジョナルCIO＝最高情報責任者）は、竹内にそんな言葉を投げ掛けた。当時、計画していたビズリーチの初期システムは、エンジニア5人がかりで半年はかかると言われたからだ。だが、竹内はそれを一人でつくり切った。

「最初からできるという自信はあった。それに、絶対に無理と言われると気合が入る」と竹内は明かす。

「担い手が代わると、こうも変わるのか」

竹内の仕事ぶりに、南は心から感心した。

永田がマッチ・ドット・コムで培った最先端のインターネット・マーケティングのノウハウにも、南は感動した。すべての行動を数値で可視化し、仕組みで管理していく。永田はもともとデザイナーとしてキャリアを始めたこともあり、サービスや広告に必要なデザインも自分で制作していった。

ビズリーチの立ち上がりを左右するのは、どれだけ多くの求職者を集められるかにかかっている。転職に関心のあるプロフェッショナル人材を集めるほど、ヘッドハンターもデータベースの魅力に引き寄せられて、ビズリーチを使うからだ。

しかも、求職者は誰でも登録できるわけではない。「年収1000万円以上の転職サイト」と掲げて登録希望者を厳選した。

サービスを拡大させるには、求職者の登録数を継続的に増やし続ける必要がある。ここに、永田のノウハウが生かされた。永田はもっとも効果の高い求職者獲得方法をデータに基づいて選択し、最短距離で求職者を増やす施策を実践していった。

すべての足跡を計測

例えば、施策はこんな形で進められた。求職者が転職のためにビズリーチに登録したとする。この求職者が実際にビズリーチの有料サービスを契約するまでには、大きく3つのステップを辿る。

最初は、サイトを訪れて無料登録をするステップ。ここで、求職者は簡単な個人情報を入力して登録する。次は、職務履歴書を入力するステップ。文字通り、自分の仕事の履歴を棚卸しして、アピールポイントと共に文書にまとめて登録する。最後が、有料サービスに加入するステップだ。本気で次の仕事の機会を探すには、会費を払って有料サービスに加わってもらう必要がある。

この3つのステップは先に進むほど、母数が少なくなっていく。無料の会員登録は気軽にできるが、職務履歴書の記入、有料課金と段階を進むごとに数は減る。ちょうど、上から下に逆三角形を進むようなイメージだ。

永田がまずやったのは、オンライン広告を打った際に求職者がこのステップのどこまで進んだかを、すべて計測していくことだった。数百種類のパターンの広告から、有料会員がどれだけ増えたのかを数字で一つひとつ把握していったのである。

「例えば、サイトを訪れる人がどのメディアのどの広告から来たのかを分析する。バナー広告なのか、テキスト広告なのか。さらに、どんなデザインやコピーが受けたのかを定量的に評価するために、それぞれの広告から流入したユーザーが、果たしてどのステップでこぼれ落ちているのかを調べていった」と永田は説明する。

ヤフーのサイトに掲載した広告を見たユーザーの中でも、有料会員の登録まで到達したのは何%なのか。フェイスブックの広告から訪れたユーザーは、どこで脱落する割合が高いのか。そんなデータを細かく分析し、どの広告が効いているのかを見ながら柔軟に打ち手を変えていった。

流入経路だけでなく、広告のデザインやコピーも工夫していった。例えば、フェイスブックで出身大学別にターゲット広告が打てることが分かると、「○○大学出身のみなさまへ」といった具体的な広告で反応を高めることに成功した。最終的には、数千以上のパターンで広告を打ち、その中からもっとも効果のある施策を丹念に採用していった。

絶対に損をしない仕組み

可視化と定量化によって、広告の効果測定を高めていった永田は、さらにその精度を磨いていった。ＬＴＶ（ライフ・タイム・バリュー）に基づく先行投資の考え方を、マーケティング施策に反映していったのだ。

ビズリーチに有料登録をする利用者がサービスに支払う総額を予測し、そこから投資回収率を計算し、それをベースに広告投資額を決める。例えば、有料会員一人あたりのＬＴＶが年2万円で、無料会員の5人に1人が有料会員に転換するとする。その場合、一人の無料登録を獲得するのに広告費に4000円まで支払っても赤字にはならない。あるいはオンライン広告をクリックしたユーザーのうち、10人に1人が無料会員になると、1クリックあたり400円まで投資できる、という計算が成り立つ。

これが分かると、顧客獲得にいくらまで投資できるのかという基準が見えてくる。それを下回る金額で新規獲得ができれば、理論上は損を出さずに利益を積み上げられるというわけだ。また顧客を増やしたい場合には、どれだけ投資額を増やすべきかの目安にもなる。

LTVを割り戻した範囲で会員を獲得し続けていけば、一定期間が過ぎたところで必ず黒字化する。LTVが予測できるくらいデータが積み上がれば、広告の投資額を微調整しながら、損をしないサービスが設計できる。

これを実現するには、最初からサービスそのものにデータを計測する仕掛けを埋め込む必要がある。永田の意図を汲んだ竹内は、マーケティングに必要な機能を導入していった。

利用者の動向を可視化し、日々きめ細かく戦略や施策を変えるアプローチによって、ビズリーチは大きく成長し始めた。

事業づくりに大切な役割分担

竹内と永田がサービスやプロダクト開発を進めていく傍ら、南はヘッドハンターの営業に奔走していた。自然と、組織における役割が分かれていった。

「僕は営業の仕事をしたこともなければ、マーケティングにも詳しくない。システムをつくれるわけでもないし、プロダクト・マネジメントもできない。創業時から、自分の役割が何なのかを考えて行動していた」と南は語る。

そんな消去法で残ったのが、ヘッドハンターの開拓という仕事だった。営業経験はなかったが、自分もチームに貢献したいと、役割を見つけ出した。そこから2年、南は800人ほどのヘッドハンターに会い、ビズリーチのサービスを売り込んでいく。

この体験から、南は「事業づくりには役割分担が大切だ」という考え方を意識していく。特に創業期は役割が頻繁に変わる。「これしかできない」「これしかやりたくない」と言っている余裕などないのだ。

竹内と永田がつくり上げたサービスを、南や佐藤が支えていく。創業時には、自然とそんな役割分担が出来上がっていた。

「創業期からチームで経営していたから、その後、大きく成長することができた」と南は振り返る。

「転活パーティ」の衝撃

ビズリーチが正式にサービスを開始したのは、2009年4月14日。この日が、実質的な創業日と言える。打ち出した戦略の中でも、立ち上がり期に貢献したのがPR戦略だった。

資金力の乏しいスタートアップがメディアで露出を高めるには、話題づくりが欠かせない。どんなスタートアップも立ち上げでインパクトのある記者会見やイベントを開きたいと思うのは当然だが、メディアが注目するような話題は簡単には見つからない。

そんなとき、草ベンチャー仲間として手伝っていた田澤玲子（現ビジョナル・インキュベーション広報）が、おもしろい企画を見つけてきた。田澤は当時、ニューヨークで流行していた「ピンクスリップ・パーティ」と呼ぶイベントに目を留めた。田澤は永田と共にマッチ・ドット・コム日本法人の広報を担当していたことがあり、PRを得意としていた。

リーマンショック直後のニューヨークでは、連日のように金融機関の人員整理が繰り広げられていた。解雇通知がピンク色だったことから、それをツマミに仕事探しの情報交換をする金融マンを集めたパーティが話題になっていたのだ。機を見るに敏なヘッドハンターも集まり、バーが即席のネットワーキング・イベントの会場になることも少なくなかった。

日本でもリーマンショックによって金融機関の人員整理が始まっていた時期だ。ニューヨークに連動する形で同種の転職活動パーティを開くのはどうか。場所は、リーマン・ブラザーズの日本法人が拠点としていた六本木ヒルズ。田澤はそれに、「転活パーティ」という名前を付け、ビズリーチの正式リリースと併せて記者会見を開いた。

この動きをブルームバーグが先行して報じたこともあり、サービス発表時には70人近い報道陣が駆け付けた。リーマンショック後の話題に飢えていたメディアの関心もあり、無名のスタートアップとしては異例の扱いで各メディアが大きく取り上げた。

この成功がビズリーチに与えた影響は大きく、以後、南はメディアへの話題づくりを意識しながらサービスを打ち出していくようになる。

事業と人はセット

事業づくりにおける仲間の重要性。この時期に得た学びは、その後の南の経営に大きな影響を与えた。

事業の立ち上げ時期など、不透明なことの多い局面であるほど、その業界や新しい技術に精通する人を探して、仲間に加わってもらう。自分とは違うスキルや経験を持った仲間を探し、背中を預け合い、役割を任せる。

「この人がいなかったらマズかったということは、これまでに何度もあった。だがそのたびに、ここぞというタイミングで救世主のような人が現れた。これは偶然ではなく必然で、日ごろから採用したいと思う候補者と会い続けているから」と南は明かす。

ビズリーチ事業の飛躍もまた、様々なキーパーソンが成長を牽引していくことになる。

その中心人物となる多田洋祐が仲間に加わるのは、創業メンバーが揃ってから、およそ4年後のことになる。

第四章

論理と勝ちグセのある組織をつくる

人の意識に働きかけろ

日本の大手ベンチャーキャピタルとして知られるジャフコグループが、1年間に面会するスタートアップは約3000から4000社。このうち、実際に投資に至るケースは20社程度と言われる。割合で言えば、1%に満たない。

〝千に三つ〟と言われる有望企業を探り当てるため、有能なベンチャーキャピタリストは、とにかく一人でも多くの起業家に会う。

「何百人と面会を重ねていると、ごく稀に『これは』という人物に出会うことがある。確率論の世界だ」とは、ある著名ベンチャーキャピタリストの談だ。

ジャフコグループで17年間、スタートアップ投資を続けてきたパートナーの藤井淳史も、南壮一郎と出会ったときは、それに近い感覚があったと言う。

「事業構想のスケールもビジョンも、とにかく大きかった。普通の起業家とは明らかに違う雰囲気が漂っていた」

こう表現する藤井は、ジャフコグループを通じてビズリーチを創業期から支えてきた。南の恩人の一人だ。

ジャフコグループとの出会い

出会いは偶然だった。

2009年当時、リーマンショック後の混乱もあって、日本の金融市場は凍結し、投資マネーは完全に干上がっていた。経営環境の激変に耐えられたスタートアップは少なく、起業数はリーマンショック前と比べて急減していた。

そんな中でも、見込みのありそうな起業家を探していた藤井のチームに引っかかったのが、のちにビズリーチのCTO（最高技術責任者）となる竹内真が経営していたスタートアップだった。

竹内はビズリーチに携わる以前、レイハウオリというシステム会社を創業していた。藤井の同僚が竹内に面談を申し込むと、「レイハウオリに出資してもらいたいとは思わないが、おもしろい経営者を紹介したい」と言う。こうして連れてきたのが南だった。2009年夏のことだ。

ほどなくして、藤井との面会が実現する。南がビズリーチの事業計画を説明すると、藤井は大いに興奮した。

「考え方や発想は完全にグローバル。だけど、古きよき日本を大切にする心も持っている。奇妙なたとえだが、まるで日本人の仮面をかぶった外国人のような印象だった」

ここでも、南はとにかくしゃべり通した。

外資系投資銀行から楽天イーグルスの創業、そして転職市場で見つけた課題。物怖じしないキャラクター。綿密な事業計画と淀みないプレゼンテーションに、藤井はすっかり魅了された。

藤井によると「通常の面談プロセスを二つか三つすっ飛ばして」、ジャフコグループ幹部との面談を果たした。当時の上司であり、共に南を支援してきたジャフコグループ常務の渋澤祥行も面談の後、「日本にもまだまだおもしろい人物がいるものだ」と漏らしたという。

2億円の資金調達

もっとも、投資に前向きだった藤井らに対し、「すぐに資金が必要ではない」として、南は一旦、出資のオファーを断っている。

その後、最初に資金調達を実施したのは翌2010年の3月のことだ。調達金額は2億円。現在は上場前でも数十億円、時に100億円規模の資金を調達することもあるが、当時の国内スタートアップでは2億円でも、十分に巨額と言える調達額だった。

サービスを開始してから、登録する求職者やヘッドハンターの数は増加基調にあり、ビズリーチ事業は順調な立ち上がりを見せていた。求職者課金型のビジネスモデルも受け入れられ、「高年収人材に特化したデータベース」というサービスの価値を、ヘッドハンターも理解し始めていた。

南は調達した資金で、竹内や永田信など、それまで無報酬で働いていた創業メンバーをフルタイムの社員として迎え入れた。

同時にさらなる成長に向けて、様々な布石をする算段をしていた。

最終目標はもちろん、南が課題のセンターピンとして設定した、求職者と企業が直接つながる仕組みを日本に普及させることにある。

ところがこの最終目標が、とてつもなく厚い壁として立ちはだかる。

南だけでなく、その後ビズリーチの社長を引き継いだ多田洋祐をはじめとした仲間たちが総力を結集し、10年近い歳月をかけてブレークスルーしていくことになる。

長く険しい道のりだが、このときは誰も、それほど長期戦になるとは想像していなかった。

感じた強い手応え

ここで、もう一度、ビズリーチのサービスを整理しておこう。

ビズリーチは創業時から、サービスの対象顧客を、①求職者、②ヘッドハンター、③企業、の3つに分け、サービスの成長に合わせて、課金対象を段階的に広げる青写真を描いていた。

最初のステップは、①求職者への課金だ。これまで見てきた通り、従来は登録無料が当たり前だった求職者に課金をすることで、本気で仕事を探す高年収人材だけを集めたデータベースで差異化を図る。登録する人材も年収1000万円以上のクラスのビジネスパーソン

ビズリーチ3つの収益源

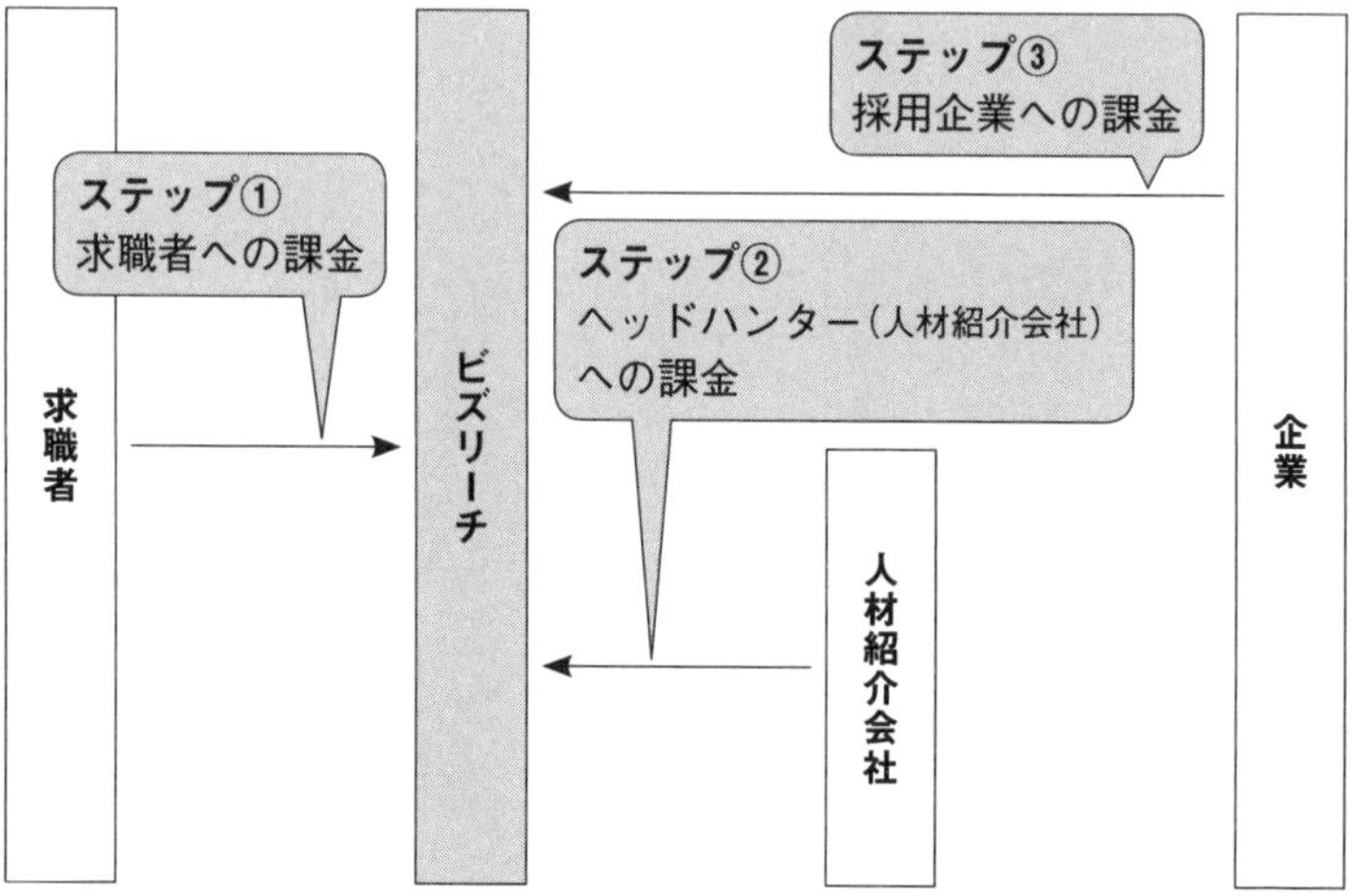

に限定する（現在の対象は年収1000万円以上に限らない）。

二つ目のステップは、②ヘッドハンターの利用を有料化すること。求職者のデータベース活用が進み、これに価値を感じるヘッドハンターが一定数に達した段階で、有料に切り替える。

離脱するヘッドハンターも出るだろうが、本当にビズリーチのデータベースに価値を感じているなら、お金を払ってでも利用するはずだ。この段階まで進むことができれば、求職者とヘッドハンターの双方で売り上げが立ち、安定的な収益基盤が確立できる。

最後のステップが、③人材を採用する企業の利用を促して課金をする段階だ。企業の採用担当者が直接、ビズリーチの人材データベースにアクセスし、求職者をスカウトする。

南の目指す「企業による直接採用」はこの

段階で初めて実現し、これによって、日本の働き方の選択肢と可能性を広げようとしていた。

当初は、それぞれのステップをゲームのように捉えていた。順番にステージをクリアしなければ、次には進めない。

もっとも創業半年後には、有料でもサービスを利用する求職者が一定数いることが分かり、手応えは感じていた。サービスに対する評価も高かった。

「それまでにも人材データベースをヘッドハンターに開放する転職サイトはあったが、ビズリーチはそれまでにないインタフェースで圧倒的に使いやすかった」

ビズリーチを初期から利用する転職エージェント、キープレイヤーズ代表の高野秀敏はこう振り返る。竹内の開発したプロダクトの評判が上々だったことも、南らの気持ちを盛り上げた。

欲しい人材を能動的に採用する

継続的なサービス改善を進めて会員数は順調に伸び、サービス開始から約2年後の2011年1月には、求職者の登録数が5万人に到達した。

このタイミングで二つ目のステップである、ヘッドハンター向けの有料化を開始。懸念したヘッドハンター離れも想定内に収まり、利用者が著しく減ることはなかった。

「データベースに価値を感じるユーザーは確実にいる」

自信をつけた南はその勢いをかって、3カ月後の2011年4月、企業向けのサービスを本格的にスタートさせた。

ビズリーチ事業の本丸である企業顧客の開拓にあたっては、次の3つのポイントを訴求することに決めた。

・高いスキルや経験を持つ即戦力人材を早く、安く採用できること
・多くの人材データベースの中から採用する人材を選べること
・オンライン・データベースから直接採用することが、採用の新たなトレンドになること

サービス開始当初は、いわゆる「前金」と呼ぶ固定利用料は不要とし、サービスを利用して採用が決定した段階で、年収の20％を企業から徴収する仕組みだった。一般に、人材紹介会社は年収の30～35％を取っていたため、それよりも安く採用できる点を、企業に向けた訴求点の一つとした。

ビズリーチを使えば、企業の担当者が自分でデータベースを検索して、能動的に人材を探せる。これまでのように人材紹介会社が斡旋する中から受け身で採用するだけではなく、能動的に採用することで、より多くの候補者の中から自社に本当に必要な即戦力人材を見つけられるようになる。

今後の日本の働き方や雇用の構造を考えれば、企業の採用方法も変わらざるを得ない。企

業が直接採用する力を身に着けなければ、人材獲得競争に負けてしまう。特にプロフェッショナル人材は、海外では直接採用が主流になっている。この変化はいずれ、日本にもやってくるだろう。日本の企業も、直接採用を導入すべきだ――。そんなメッセージを発信していった。

「なんで、全部やってくれないの」

社会の変化を敏感に感じている人なら、ビズリーチのメリットが響くに違いない。そう踏んでいた南だが、実際に始めてみると、その思惑はあっけなく外れた。企業からの反応が想定以上に芳しくなかったのだ。

サービスは確かに使いやすい。求職者のデータベースもこれまでにない質の高さだ。

「それでも、企業の採用担当者が抱える本質的な課題に応えられていなかった」

当時、企業向けサービスの立ち上げを担当した坂本猛（現ビズリーチ人事統括室室長）と加瀬澤良年（現ビズリーチ社長室特命プロデューサー）はこう振り返る。

それまで中途採用は人材紹介会社が手掛けてきた。そのため企業が直接人を探す「直接採用」、あるいは海外で使われていた「ダイレクト・ソーシング」という言葉の概念は、ほとんど理解されていなかった。

「海外では主流になりつつあるサービスで、優秀な人材を採用できます」と訴えても、大抵はこう返された。「人材紹介会社にお願いしたら全部やってくれているのに、なんで、自分たちでやらないといけないの」――。

企業側の理解を得るには、相当の努力が必要だった。

ビズリーチを活用して企業が自力で採用できるようになれば、これまで人材紹介会社に払っていた料金を抑えることができる。このメリットには、採用担当者も興味を持ってくれる。

だが、なぜコストが下がるかといえば、それは人材紹介会社に委ねていた作業の一部を、企業の採用担当者が自分で担うためだ。人を探したり、面談などのコミュニケーションを直接、行わなくてはならない。

より多くの求職者の中から優秀な人材を早く、安く、採用できるというビズリーチのサービスを好意的に捉えるのか、それとも、今まで以上に手間が増えて面倒と感じるのか。考え方次第でビズリーチの評価は１８０度変わってくる。

ただし、当初は多くの企業がこの変化を面倒と感じていた。いざサービスを利用する段階になっても、「ビズリーチが全部やってくれるんじゃないの?」という反応がくる。

「企業の担当者は、自分たちで能動的に手を動かす必要があると知って、サービスを敬遠するようになった」と坂本は当時を振り返る。

前金はないので契約企業数は増えていった。それでも、肝心の利用頻度と採用成約件数は一向に増えなかった。

「メリットは分かるが、忙しくてやっていられない」

当初はビズリーチに興味を持っても、最終的にはそんな結論に至るケースが多かった。企業向けサービスを拡大するための最大の課題は、「現状を変えたくない」という人間らしい意識をどのように変えるか、という問題に行き着く。大きな課題が目の前に立ち上がった。

伴走しなければ、意識は変わらない

企業の採用担当者の意識をどう変えればいいのか——。

具体的な方策はなかなか見つからなかった。サービスに魅力を感じても、結局は利用方法を習得できずに疎遠になっていく。そんなパターンが多かった。

企業の利用を増やすには、直接採用の魅力を伝えるだけでなく、サービスの使い方を丁寧に教える営業手法が不可欠だった。

だが、南ら創業経営陣は誰も営業の経験がない。当初は、南や永田が見よう見まねで営業チームを率いていたが、できることには限界があった。

本格的に企業向けサービスを拡大するには、強い営業組織をつくり、それを率いるリーダーが必要になる。

この窮地を打開したのは、もともとビズリーチをヘッドハンターとして利用していたある顧客だった。名前を多田洋祐という。

多田は当時、自ら創業に関わったヘッドハンティング会社の副社長を退任し、起業してファンスクウェアという会社を立ち上げたばかりだった。もともと、副社長を務めていた会社がビズリーチを利用していたことが、南との出会いのきっかけだった。「ビズリーチの本質的な価値を理解していたし、サービスの使い方も抜群に優れていた」と多田について見ていた南は、彼が副社長を退任するタイミングですぐに声を掛けた。

しかし、多田は自分の会社を立ち上げたばかり。そのため当面は自分の会社を経営しながら、ビズリーチとは営業面などのコンサルティングをする業務委託契約を結んだ。

その後、南の思惑もあって、多田はどんどんとビズリーチ事業に引き込まれていき、気づいたころにはビズリーチになくてはならない存在となっていた。


多田はどんな人柄かと周囲に聞けば、「生真面目」「愛嬌がいい」という言葉が返ってくる。何事にも入念な準備を怠らず、事業の「型」を重んじる理論派。愛読するビジネス書は経営コンサルタント一倉定が解説した『一倉定の社長学全集』。松下幸之助の出版物をすべて読み漁るなど、ストイックな勉強家としての一面を持つ。コミュニケーション能力が高く、誰の懐にも飛び込む勢いと親しみやすさもある。何よりも、笑顔がいい。

「2年で800人以上のヘッドハンターに会っていたが、多田の能力は頭一つ抜けていた。自分とは正反対のスキルと経験、そして日本の働き方を変えたいという課題意識が一致した」と南は振り返る。それくらい、多田にほれ込んでいた。

最後は「歴史に残るスケールの大きな事業を手掛けたい」という多田の夢を叶える約束で、ビズリーチに正社員として迎え入れた。

当初はビズリーチの採用業務を一手に担っていた多田だが、ほどなくして南から、営業部長に指名される。企業向けサービスの苦戦を挽回するため、本格的な営業組織の立ち上げを任せられたのだ。

自ら創業したヘッドハンティング会社でゼロから営業組織を立ち上げていた多田にとって、当時のビズリーチの営業体制には大いに改善の余地があった。

「目標や役割があいまいで、営業メンバーが属人的な人脈を頼りに好き勝手にやっている印象だった。仕組みをつくれば営業力は確実に高められる。そんな感覚があった」

そう多田は振り返る。

「営業は必要ですか」

ただし、気になることが一つあった。南ら創業経営陣に、「本気で営業組織を強くしたい」という思いがあまり感じられなかったのだ。

営業という仕事がリスペクトされていない――。多田は、そう受け止めていた。

もともとビズリーチは、竹内が開発した良質なプロダクトと、永田の緻密なオンライン・

マーケティングによって成長を遂げてきた。プロダクトとマーケティングがあまりにも強かったため、社内で営業の重要性が理解されていなかったのだ。

それも当時、ビジネスの世界では「インターネットやＡＩ（人工知能）が拡大すれば、ゆくゆくは人による営業はゼロになる」という論調が広がっていた。

この考え方は、一面においては正しい。ビズリーチだけでなく、多くのインターネット企業が目指すプラットフォーム・サービスは、サービス提供者とユーザーが直接つながり、中抜きが発生する。ただしそれは、主に消費者向けサービスにおいてだ。逆に企業向けサービスの場合は、営業こそ不可欠であると、のちに明らかになっていく。

ビズリーチは創業当初、求職者という消費者向けの開拓に重点を置いたため、南らの頭の中には、企業向けサービスの成長に必要な要素がすっぽりと抜けていた。つまり企業に対する営業が大切だとは認識されていなかったのである。

しかしこの先、ビズリーチの企業向けサービスを広げていくとすると、強い営業組織が不可欠になる。そのためには何よりもまず、社内の営業に対する認識を変える必要がある。

そう考えた多田は、一つの行動に出る。

２０１２年12月のある日。多田が営業部門のリーダーに就いてから間もないころのことだ。竹内や永田らの集まるミーティングで、多田は突然こう切り出した。

「営業は、今のビズリーチに必要ですか」

竹内と永田が真意を問うと、多田はこう述べた。

「ビズリーチがインターネットですべてのサービスを完結させるつもりなら、営業はいらない。でもこの先、企業向けサービスを本格的に展開するなら、強い営業組織をつくる必要がある。果たして、そのつもりがあるのか。改めて方針を確認したい」

企業向け事業に不可欠な営業

事業の成長には、競争力のあるサービスをつくるプロダクトチームが不可欠だ。だがそれと同じくらい、サービスを顧客に届ける営業も不可欠な存在である。果たして、営業を本当に必要だと思っているのか——。そう、多田は問うた。

多田の問い掛けを受けて、数日後には、南を交えた経営陣らと多田で話し合いの場が持たれた。そこにはなぜか、ビズリーチを創業時から支援していた元日本マイクロソフト業務執行役員の澤円の姿もあった。

南が澤に水を向けると、澤は営業の重要性を語り始めた。

「マイクロソフトがなぜここまで成長しているかといえば、優れたプロダクトもさることながら、それを届ける営業組織が強いからだ。マイクロソフトだけでなく、セールスフォース・ドットコムやオラクルなど、企業向けで強い会社はどこも、高い製品力と強い営業組織の両輪で業績を伸ばしている」

竹内と永田はうなずき、最後は経営陣の総意として、ビズリーチの成功には営業組織の強化が欠かせない、ということを多田に伝えた。

「営業をフェアに扱ってほしいと伝えたかった。確かにそれまでのビズリーチは、高い技術力や最先端のマーケティングで成長してきた。ただ、その魅力を伝えることのできる営業がいれば、もっと早くサービスが広がる。製造業だって製造と販売の両輪があるから会社が強くなる。そんな関係をビズリーチで実現したかった」

多田は、当時の胸中をこう明かす。

多田に対して営業組織が重要であると伝えた翌日、プロダクト部門のトップだった竹内は、全社員が参加する朝礼でこう発言した。

「誰でも売れるものをつくれるプロダクトチームと、どんなものでも売ってくれるセールスチーム。一見、矛盾したように感じるこの役割が共存していることを、我々の強みにしたい。互いに切磋琢磨しながらやっていこう」

この一件をきっかけに、営業メンバーは明らかに変わった。それまでは「軽んじられているのではないか」と疑心暗鬼になっていた営業メンバーが、自信を持って働くようになったのだ。「営業も大切な役割である」——そんな認識が社内で共有された。

ここから、多田の強い営業組織づくりが始まった。

個に依存しない組織をつくる

新しい組織をつくるにあたって、多田は方向性を定めた。いわば、組織づくりにおける打ち出し角度を固めたのだ。

多田が志向したのは、個の力に依存しない組織だった。

「一部の優秀なメンバーの成果に頼る組織はリスクが大きい。それよりも、どんなメンバーでも売れる仕組みをつくること。スーパースターを集めて売り上げを伸ばすのではなく、個々の才能に頼らない組織をつくった上で、スーパースターが活躍すればいい」

当時、ビズリーチの営業は人材業界の経験者が多数を占め、それぞれの個人的な能力に売り上げを依存していた。このままでは、中長期的に考えて、顧客の裾野が広がらない。

一方で、成長する企業の中には、営業未経験者を集めて結果を出しているケースもある。企業が持続的に成長するには、未経験者でも成果を出せる組織をつくる必要があるのだ。

多田は経験的に、いいプロダクトがあれば、未経験者でも売れることを知っていた。

個の力に依存しない組織をつくるために必要な条件は二つある。

一つは、営業に関する行動を要素分解して定量化し、成果を生み出す仕組みをつくること。

もう一つは、メンバーの意識を高める組織文化づくりだ。前者の仕組み化で参考にしたのは、海外の企業向けサービスに強いインターネット企業が導入している営業手法だった。

マイクロソフトやセールスフォース・ドットコム、オラクルなど、企業向けサービスの強い会社は、データに基づいて営業を科学的に分析している。組織づくりの第一歩は、営業を科学することにある。

共通のルールに基づいて動く組織をつくるために、多田は営業の仕事を要素分解し、分担を細かく分けていった。

まずは対象顧客。それまでも営業組織の中でゆるやかな分担はあったが、顧客ターゲットを業種や会社規模、地域で分け、担当者の分担を明確にした。

顧客情報管理のセールスフォースを導入してデータを分析してみると、契約顧客の所在地は東京23区の中でも著しく偏りがあった。渋谷、品川、港などの7つの区で集中的に契約が発生していたのだ。「まずはここを攻めよう」と決め、営業チームを割り当てた。

同時に、やらないことも決めた。自分が担当する地域以外は、基本的に電話で対応すること。よほどの用件でない限り、担当地域外の対面営業には出かけない。分けるとは、やらないことを決めることでもある。

「何をやらないかを決めないと、欲が出る。効率を上げるには、やることと同じようにやらないことを決めることも重要だ」

一人ひとりの仕事を具体化

顧客分担と並行して、組織上の役割分担も明確にした。契約後の顧客に対して、サービス利用を支援するサポート部門を強化したのだ。

前述した通り、人材紹介会社とビズリーチを比べると、人材紹介会社の価値の一つが手間の解消にある。人材紹介会社は人を探し、面談日程を調整し、求職者の意向を聞く。採用までの無数の手間を代行してくれることに、企業の採用担当者は利便性を感じている。

翻って、ビズリーチの直接採用モデルは、より多くの優秀な人材の中から、より早く、より安く即戦力人材を採用できる。その強さを訴求するには、これまで人材紹介会社が提供していた価値も、ある程度は補う必要がある。

ビズリーチを導入した企業が、実際にサービスを活用して採用に成功するには、企業向けの支援強化が欠かせない。そのために顧客支援部門を強化した。

現在のインターネット業界では一般に「CS（カスタマー・サクセス）」と言われる役割だが、当時の社内では、前線で顧客を獲得してくるチームを「前工程」、企業の採用成功に向けた支援をするチームを「後工程」と呼んでいた。

前線の前工程チームも、電話営業でアポイントを取るチームと、実際に営業訪問に出かけるチームの二つに分けた。

後工程の役割は、契約後の顧客の課題に応えること。採用候補者リストや求人職務明細書の作成支援やスカウト文面の添削支援など、成約につながるサポートを実践していく。サービスの価値を理解してもらうには、メリットを実感してもらうしかない。

多田は一人ひとりの仕事を明確にした上で、細かな数字目標を定めていった。

例えば電話営業の担当なら、月の売上目標に対して「今日、何件アポイントを取らなければならないか」とブレークダウンして示していく。それを日次で計測しながら、目標達成の進捗を管理していった。

人は、すべきことが具体的に決まるとアクションが取れる。細かな目標があってもそれを達成できないのなら、理由は次の3つしかない。

「やる気がないか、時間がないか、やり方が分からないか」と多田は語る。

意欲の高い人の集まるスタートアップの場合、やる気がないというケースはほとんどない。時間がない場合は、時間の使い方を変えるように一緒に考える。時間の使い方が変われば、成果は出てくる。やり方が分からないのは、何をいつまでにやればいいのか具体化されていないからだ。仕事を細かく分解して具体的に示し、後はやるかやらないかというレベルまで落とし込めば、動けるようになっていく。

それまで感覚的に管理していた目標を仕組みに落とし込み、属人的な要素を排除する。様々なパラメーターを見ながら組織を動かすマネジメントに移行していった。

当時、多田は「計器飛行」という言葉を頻繁に使って、目指すべき理想の営業組織を表現していた。

絶対達成の勝ちグセを醸成する

分かりやすい数字で行動を管理しつつ、同時に営業メンバーの意識を高める組織文化づくりにも着手した。

多田はここから、強い営業文化をつくるための施策を打っていく。勝ちぐせのある組織文化を醸成していったのである。

「勝ちぐせ」は、掲げた目標を絶対達成することで育むことができる。目標達成が当たり前の組織と、未達成でも仕方がないと考える組織では、天と地ほどに業績が違う。「達成していないことが格好悪いというカルチャーをいかに早くつくるかが大切」と多田は言う。

では、どうやってそんな組織文化をつくるのか。多田は「チームリーダーが目標達成に執着すること」と語る。

例えば営業チームの一日の目標が、一人2件の新規商談獲得だったとする。すると多田はまず、朝礼で契約を取るために、今日中に何本の電話をかけなければならないのかを確認し、メンバーに1時間ごとに進捗を確認する。

「今日、いきそう?」「何件いった?」「OK、頑張ろう」

細かく進捗状況を確認し、時には一緒に達成に向けた方法を考える。

1時間ごとに進捗状況を確認されると、さすがにメンバーも「この人は本気だ」と感じるようになる。これを3日も続けていけば、「日次目標を達成しなければいけない」という雰囲気が醸成されていく。

当初はメンバーも驚き、戸惑った。だが30日、60日と続いていくと、目標を何がなんでも達成しようという組織に変わっていく。

「組織改革のポイントは、リーダーの意識をいかに変えるかにある」と多田は言う。

言葉が組織文化をつくる

意識改革において、多田がもう一つこだわったのが言葉遣いだった。

象徴的なのは顧客の呼び方だ。社内の会話でも決して呼び捨てにせず、常に「○○様」「○○さん」など、必ず敬称を付けて呼ぶように改めた。

「呼び捨ては全面禁止にした。会話だけでなく、パソコン上で顧客名を表記する場合も、すべて『様』を付けるように改めた。営業会議や平場の会話も同じ」

呼び捨てにした場合は、多田が逐一、訂正していく。

言葉へのこだわりは、多田の失敗体験によるところが大きい。以前、多田が働いていた会社では、顧客志向を見失っていた時期があった。儲けに執着し、顧客のことが頭に入っていなかったのだ。するとあるとき、働いていた女性の営業アシスタントが辞めると言い出した。

「お客様を大事にしない人とは仕事ができないし、そんな風土にはついていけません」

そのとき、多田は我に返った。

「素晴らしい会社は、顧客の企業名を呼ぶときにも『様』や『さん』を付けている。小さなことかもしれないが、それを疎かにしていない。そんな反省もあって、ビズリーチでは理想の組織をつくりたかった」

言葉が、文化をつくる。多田は顧客を尊重する姿勢を愚直に説いて回った。すると顧客に対する営業姿勢もじわりと変わっていった。

「神は細部に宿る。使う言葉は本当に大切だ」

データ重視の科学的な戦略の下で、泥臭く成果を追い求めて目標を達成させていく——。

多田の性格を象徴するような営業組織が生まれていった。

意識改革は手本づくりから

営業の基盤をつくった多田は、さらに企業向け営業を次のアプローチで攻めていった。

・直接採用をうまく駆使している顧客企業のロールモデルをつくる
・そのロールモデルをベースに、直接採用の使い方やメリットを幅広く周知する
・「ダイレクトリクルーティング」という独自の造語を提唱し、直接採用の認知度を高める

人の意識を変えるには、具体的なイメージを抱いてもらうといい。そのためにもっとも効果的なのは、実際にビズリーチを活用して成功している企業の声を紹介することだ。

当初、企業の中でもビズリーチを使いこなしていたのは、主に外資系企業とスタートアップだった。外資系企業は社内にリクルーターと呼ばれる採用のスペシャリストが存在し、リンクトインなどを生かした採用活動を実践していた。それゆえ、ビズリーチの登場は渡りに船だった。

「グローバル企業の日本支社は、国内の人材紹介会社に依存した仕組みが本社から批判されていた。なぜ自分たちの力で人材を探さないのか、と。ビズリーチがそれを可能にしたので歓迎された」

当時、企業向けサービスの立ち上げを担当していた加瀬澤は言う。

知名度が劣るスタートアップにとっては、事業の志や会社の世界観を直接、求職者に伝えられるビズリーチが魅力のある採用ツールに映っていた。条件のよさで求職者を集めることが難しくても、採用担当者や経営者が直接、求職者とコミュニケーションを取ることで、優秀な人材を口説ける可能性が高まるからだ。

ビズリーチ経由でいい人材が採用できた事例が生まれると、「ビズリーチを使えば優秀な人材が採用できる」という口コミがスタートアップの間で広がっていった。

面接ではなく面談

営業組織は、これらの成功事例をまとめたセミナーを積極的に展開した。ビズリーチと契約した企業にはセミナーに参加してもらい、直接採用の心構えやノウハウを伝えた。多田自身、何度もセミナーに登壇し、ビズリーチを使って採用力を高める大切さを講演した。当時、訴えていたポイントは3つあった。

・面接より面談
・採用は確率論
・経営トップのコミットが不可欠

面接より面談とは、たとえ求職者の転職の意向があまり高くなくても、多くの人と面談すべきという意味だ。実際の面談では情報交換などをしながら、自分たちの魅力をアピールしていく。しょっぱなから相手に志望動機などを聞くのはご法度で、相手を見極めるよりも先に、まずは自分たちの会社に興味を持ってもらうことを優先する。

採用は営業と同じで、行動量がすべてである。それが確率論という言葉の真意だ。一人面接して、一発で採用できるケースはまずあり得ない。10分の1、20分の1の確率で決まっていく。だからこそ行動量が何よりも大切になる。本気で採用するには、いつまでに何人面談するかといった数値管理も必要になる。

そして、これらを実践するには、経営トップのコミットが不可欠になる。経営陣が率先して採用に関わること。大企業の採用では採用担当者から現場のマネジャー、役員というステップを踏むが、大切なのは最初から経営トップが面談に出て、求職者の心を掴むこと。特に知名度のない企業の場合、経営トップが自ら連絡し、面談を約束することで、返信率が上がる。

これらのノウハウは、ビズリーチを使って直接採用に成功していた顧客企業や自社の採用で蓄積したものでもある。


直接採用という概念が当たり前になるには、言葉が大切になる。

もともと直接採用という言葉は、海外では「ダイレクト・ソーシング」と呼ばれていた。しかし「ソーシング」という言葉は、人をモノのように扱っているように感じられるため、しっくりこない。

議論の末、「ダイレクトリクルーティング」という独自の言葉を生み出した。そして、この言葉を広めるために、あらゆる活動を始めた。メディアに売り込み、経済誌のオンラインサイトで連載を持ったほか、営業チームの肩書も「ダイレクトリクルーティング・コンサルタント」に変えて、セミナーでは必ず「ダイレクトリクルーティング」という言葉を使った。

その結果、ダイレクトリクルーティングという概念は徐々に広がっていった。２０１５年には日本経済新聞の記事でも、ビズリーチで生み出した造語が掲載されるようになった。

大量離職に直面

多田が磨いた営業組織は、ビズリーチに着実な成果をもたらした。

一つは、企業向けサービスを拡大する基盤ができたこと。データに基づく組織的な営業によって、ビズリーチを利用する企業が少しずつ増えていった。

２０１６年7月期末の累計導入企業数は５２００社以上。多田が指揮を執って以降、その数は倍増した。それに伴い、ビズリーチ事業全体の売上高に占める企業向けサービスの割合も、じわじわと上向いていった。

一方で、多田の徹底した組織づくりに反発があったことも事実だ。

個に頼らない組織とは、行き過ぎれば、働く一人ひとりが個性のない部品のように扱われる危うさをはらむ。事実、２０１３年から２０１４年にかけて、ビズリーチが急激に組織を拡大していた時期には、そうしたひずみが問題になった。

急ピッチで営業人員を増やすために採用基準を広げたこともあり、多田の厳しい要求に反発したメンバーが続々と離職していったのだ。

「成長する過程で傷もたくさん負った。ものすごい退職者が出た時期もあった」

この時期の問題については、多田も素直に反省している。一方で多田は当時、自分の過去の記憶とも必死に戦っていた。

「成長が止まれば、もっと辞める人が増えてしまう」

多田には、今でも記憶に残っている動画がある。

それは、インテリジェンスを立ち上げたＵＳＥＮ（現USEN－NEXTホールディングス）創業者の宇野康秀が自分の経営を振り返り、人が離れていくタイミングについて語るシーンだ。

「自分は部下とたくさん飲みに行って、信頼関係を構築しているつもりだった。だが業績が下がった瞬間に社員は辞めていく。それまでの努力はほとんど意味がない。だから、経営者は業績を伸ばすこと以外は考えない方がいい」

動画で宇野はしみじみ、そのような趣旨の話をしていた。

多田がこの台詞に深く共感するのは、リーマンショックのとき、宇野と似たような体験をしたことがあったからだ。

人が我慢できるのは3カ月まで

「どんなに強い絆で結ばれていると思っていても、業績が悪化すると、人はこんなに簡単に辞めていくのか、と。成長がすべてを癒やすのはその通りだし、そのためにも目標を必達する文化をつくることが大事だと肝に銘じた」

多田は信念として、３カ月連続で営業目標を未達にすることを許さない。仮に３カ月目が未達になりそうなら、目標を下げてでも達成にこだわる。売上金額が同じでも、それが達成か未達かで営業メンバーの受け止め方が変わると知っているからだ。

視点を変えれば、3カ月が限界だということでもある。それ以上未達が続くと、メンバーは水面下で転職先を探し始める。士気が下がり、行動量も増えないため、次の目標を達成できないという悪循環が始まっていく。

だからこそ多田は、あと1%や2%で目標達成という状況では、鬼になる。そこで踏ん張れるかどうかが、人をつなぎとめられるかに直結するからだ。

月末の夕方に目標未達だと分かると、多田自身も営業フロアを回って、「案件はどこかにないか」「もう1件取れないか」と全員に聞いて回る。そこから、最後の1時間で600万円の売り上げを叩き出したこともあった。

土壇場でも、目標を達成するために必死になる組織がビズリーチの勢いを支えている。

「未達でもいいという文化だったら、今のビズリーチは確実になかった。厳しいけれどやり切る組織文化をつくり、付いてきてくれた人がいるからこそ、今がある」

苦労を共にした人間同士の紐帯は太い。結局、当時苦労した戦友は、今もほとんど社内に残っている。個人の力に依存しない営業組織をつくるという多田の使命は、ビズリーチの企業向けサービスを成長させた。

プロダクトと営業が一体になった

多田が営業を続けていく中で、何よりもうれしかったのはプロダクトチームと営業チームの一体感が増していったことにある。

経営陣に多田が直訴してから数年後、忘れられない出来事が起きた。

「なぜ営業チームは死にもの狂いで目標を守っているのに、君たちは開発の納期を守れないんだ！」

２０１６年末期、予定していた納期を守れなかったプロダクトチームに対して、竹内の怒号が飛んだ。期末の朝礼に、プロダクト開発のリーダーたち15人が並んだ。そして、神妙な表情で営業チームに向けてこう詫びた。

「プロダクトの開発が間に合いません。今月、目標売上の達成のために今の僕たちにできることは、ここから応援するくらいしかありません。営業のみんなの力を信じています」

そう言い、全員で頭を下げた。

かつて、多田は、期末になるとなぜ売り上げが伸びるのかと竹内に聞かれて、「人の見えない底力を信じているから」と答えたことがある。すると竹内は、「そんな科学的な根拠に欠ける説明はやめてください」と真顔で返した。

ところが、どうだろう。

そんな竹内を中心としたビズリーチのエンジニアたちがみな、今では営業チームを信頼し、土壇場で力を発揮するという人間の力を信じている。

エンジニアらのエールを受けた営業最終日のその日、営業チームは目標を大幅に上回り、記録的な成果を達成した。

科学的な根拠に欠けるのかもしれない。だが数字は人の思いで伸びる。なぜなら、ビジネスの根底にあるのは人の強い思いだからだ。

そんな情熱と執念が社内全体に根付いたことが、多田にとっては何よりもうれしかった。

「どんな課題も解決するサービスをつくるプロダクトチームと、どんなプロダクトも売れる営業組織。その両方が真の強さだ」

多田はビズリーチの強さを聞かれると、決まってそう表現する。

「多田がいなかったら今のビズリーチはない。創業経営陣だけでは絶対にできなかった」と竹内は振り返る。

「ビズリーチの土台には、竹内が育んできたモノづくりを大切にする文化と、エンジニアやデザイナーの努力がある。それを営業が多くの顧客に届けたからこそ、ダイレクトリクルーティングは成長できた。プロダクトと営業を両輪で回せることこそ競争力だ」と南も自負している。

多田自身は、営業の本質についてこう考えている。

――デジタルの進化によって、営業の仕事は変わりますか。

「何を売るにしても、営業の原則は変わりません。サービスが変わっても、求められる力は本質的には同じだと思うので。では売る力とは何かというと、つまるところは、自分の中で仮説をつくって、問いを立てられるかということになるんだと思います」

「いいプロダクトを売り続けることができれば、顧客の期待値もどんどん上がっていく。僕らはその期待に応え続けるしかない。そのためには自分の中で、どうやったらより良くなるかを常に自問自答し、成長し続けるしかないんです」

「人間にしかできない営業とは何か。それは『問い』を突き詰めていく作業になります。例えば顧客に気づきを与えることは、ソリューション営業という言葉で何年も前から言われています。本当にその価値を提供するには、やはり顧客に寄り添っていないとできません。営業と顧客の関係を超えた仲間のような感覚を持つことができるか。そう考えると、営業ほどクリエイティブな仕事はありません。機械に営業ができるというなら、人間はもういらないじゃないですか」

――ビズリーチにおける営業組織の位置付けはどう変わっていくのでしょうか。

「僕らのようなインターネット企業も、実は製造業と同じです。メーカーの場合、やはり製造が強くないと生き残れません。販売はそれを支えることで輝きます」

「僕の尊敬する経営者の松下幸之助さんも本田宗一郎さんもそう。素晴らしいプロダクトがない限り、営業は売るものがない。だから僕は、ビズリーチがどんなに営業が強いと言われるようになっても、『我々はモノづくりの会社だ』と言っています」

「営業にとって大切なのは顧客の本質的な課題解決であり、笑顔でその対価をいただくことができるかどうか。価値があることを正しく伝え、それを売り上げとしていただくこと。僕にとって売り上げは、顧客の感謝と期待の総和であり、企業人としての通信簿です。社会から必要とされているかは、顧客から売り上げを得られるかどうか。それができないということは、世の中に価値を提供していないということですからね」

データに基づいて論理的に動く、勝ちグセのある組織を構築した多田。彼の存在がビズリーチの成長に大きな影響を与えたのは間違いない。

しかし、企業にダイレクトリクルーティングを浸透させ、本当の意味でブレークスルーを果たすために、ビズリーチはもう一段、大きな壁を突き破る必要があった。

第五章

テレビCMの衝撃

突き抜けるまでやり切る

インターネット業界の流行り廃《すた》りは激しい。

ユーザーの心を掴み、瞬く間に市場を席巻したサービスであっても、立ちどころに競合が乱立して消耗戦に陥り、コモディティ（汎用品）の中に埋没していく。

古くはゲーム、最近なら音声ＳＮＳと、技術進化のダイナミズムの中でサービスの魅力を維持し続けるのは困難を極める。

２００９年に登場して一世を風靡《ふうび》し、瞬く間に消えていった共同購入型クーポンサービスもまた、そんなインターネット時代の徒花《あだばな》と言えるだろう。

飲食店の割引クーポンなどをサイトに掲載し、期間内に一定の購入者が集まれば落札する。サービスの構造は至って単純だが、商品を時限的に販売し、消費者の購入意欲を瞬間的にかき立てる仕組みが、当時流行し始めていたＳＮＳと結び付いて、一気に広がった。

人気の火付け役は、グルーポンという米国発のスタートアップだ。

閃光のように瞬間的に商品を販売することから付いた名称が「フラッシュ・マーケティング」。スマートフォン利用者を中心に、米国で一大ブームを巻き起こした。

2010年ごろにはその人気が日本にも飛び火し、無数のスタートアップが同じようなサービスを始めた。

リクルートやGMOインターネットなどの大手も参戦し、本家のグルーポンが上陸した2010年の末には、〝グルーポン系サービス〟が300社以上も割拠する乱戦状態になっていた。

もっとも、ブームは長く続かなかった。

多くが値下げによって商品を訴求し、激しい消耗戦に陥った。どこでも似たようなクーポンが並び、利用者はやがて飽きていった。当のグルーポンも、品質の悪い杜撰《ずさん》な商品を提供する「スカスカおせち料理事件」などで世間の批判を浴び、熱気は急速に冷めていった。

グルーポンは2020年にひっそりと日本から撤退しており、最後にはごくわずかしか残らなかった。

無謀極まりない決断に救われる

実は、この残ったグルーポン系サービスの1社が、ビズリーチ社内の新事業として始めたサービスだった。ビズリーチを創業した翌年の2010年8月、ルクサという共同購入型クーポン事業を始めていたのだ。

ビズリーチの会員データベースとの相乗効果を期待し、「ハイクラスのビジネスパーソンに特化したお得な買い物体験」というコンセプトを掲げた。狙いは、不況に弱い人材事業を、不況に強いＥＣ（電子商取引）事業で補うことにあった。

しかし、ビズリーチの創業メンバーは猛反対した。当然だろう。一つの事業を成功させるだけでも難しいのに、ビズリーチとは別にもう一つ新しい事業を立ち上げるというのだ。共倒れになる危険性もある。

そこで南壮一郎は仕方なく、ビズリーチを始めたときと同じように、社外の草ベンチャー仲間の中から同志を見つけ出し、コンセプトを練り上げていった。

競合他社が、大衆向けの飲食店や美容室の割安チケットを訴求する中で、ルクサは高級アウトレットモールというコンセプトで高級店や特別な商品・体験に狙いを定め、ほかとの違いを打ち出した。

だが、サービスをつくれる人材が見つからない。結局は南が頭を下げ、竹内真と永田信に開発を依頼した。サービスをリリースすると、商品ラインナップのよさやサイトの使いやすさが人気となり、ルクサは急成長していく。

その伸びは目覚ましく、２０１０年11月には、ビズリーチにも出資を決めたベンチャーキャピタルのジャフコグループが、ルクサにも5億円の出資を決めた。

「ビズリーチ事業が、何がなんでも塁に出るような堅実な成長を目指す事業なのに対して、ルクサは特大ホームランを狙いにいくと説明された」とジャフコグループの藤井淳史は振り返る。

しかし、スタートアップが一度に二つの事業を成長させるのは至難の業だ。

そこで次は、ルクサの経営を任せられる人材を探した。最終的には、ビズリーチの創業メンバーであり永田の元同僚でもあった村田聡（現ビジョナルCOO＝最高執行責任者）に、ルクサの社長を頼むことになった。当時、村田はECの会社でマーケティングや事業開発などを手掛けていた。

「今考えれば、スタートアップを2社同時に立ち上げるなんて、無謀極まりない決断だった」と南は反省するが、経営を任せた村田はルクサを独自の路線で成長させていった。ルクサはやがて、熾烈なグルーポン競争の中で頭一つ抜けた存在になっていく。

村田がルクサの社長に就いてからおよそ4年後の2015年4月、通信事業者大手のKDDIが、ルクサの発行済み株式をすべて取得すると発表した。これによって、ビズリーチには多額の売却益が転がり込んできた。

ルクサは途中でビズリーチから分社化されたため、この2社は当初、南が考えていたような事業シナジーを発揮することはなかった。だが、このルクサの売却益が、企業向けサービスの普及に苦戦していたビズリーチを救うことになる。

立ち上がらない企業向けサービス

2014年、南らがビズリーチを世に広げるカギと考えたダイレクトリクルーティングの普及は、難航していた。

サービス開始から5年が経ち、求職者の会員数は2014年1月に20万人を突破していた。しかし、ビズリーチを利用して直接採用する企業の増加ペースは、南の想定を大きく下回るものだった。インターネット業界の中ではある程度知られる存在になっていたが、だからといって、日本社会の中途採用の市場を根本的に変えるほどのイノベーションが起こせたとは言い難い状況だった。

当時の実態は、ビズリーチの収益構造が物語っていた。

この時期の決算を見ると、企業向けサービスの売上高は、会社全体の3割程度しかなく、当時、ビズリーチ事業を牽引していたのは、ヘッドハンター向けの売り上げだった。ヘッドハンターにとっては、ビズリーチの価値が分かりやすかったのだろう。

一方で、企業の経営者や人事担当者には、ビズリーチのメリットが浸透していなかった。明確な使い方が見えにくかったのである。

企業にとってみれば、自分たちのニーズを伝えるだけで適切な求職者を探してくれる人材紹介会社の方が負担は少ない。多少コストが高くなっても、費用対効果を考えれば、人材紹介会社に利がある。ビズリーチは人材紹介会社のメリットを上回ることができずにいた。

「人材紹介会社の強さは人が介在するところにある。求職者と企業、双方の顔色をうかがいながら、丁寧にフォローしてマッチングの精度を上げていく。こうした人間ならではのきめ細かな対応を、ビズリーチはテクノロジーの力で上回ることができていなかった」

当時、ビズリーチの事業部長だった多田洋祐はこう振り返る。自社のプロダクト開発力には大きな強みがある。そのために営業組織を鼓舞し、懸命に顧客開拓を進めてきた。しかし、それでも企業の経営者や人事担当者のマインドセットを変えるという壁は、なかなか突き崩せなかった。

直面した300人の壁

2014年夏ごろになると、ビズリーチの勢いに陰りが見えてきた。会員数の伸びの鈍化と共に、成約数のペースが落ち、社員数も300人を前に頭打ちになっていた。

事業の停滞は、そのまま経営の厳しさに跳ね返る。創業期に資金調達を実施して以降、銀行から数億円の運転資金の借り入れだけでここまでやってきた企業体力が、じわりと削られつつあった。

インターネット業界ではビズリーチの認知度はある程度広がり、スタートアップや外資系企業での利用も進んでいる。しかし、世間一般に浸透したという状態にはほど遠い。

日本の大手企業が、ごく当たり前にダイレクトリクルーティングを活用するようになるには、どうすればいいのか——。

南は追い詰められていた。

「みんながそれぞれの持ち場で必死に奮闘し、成果も上がってきている。それでも社会を変えるほどのインパクトを与えるには、もう一段大きな〝空中戦〟を仕掛ける必要があった。いろんな施策を打ったが、ことごとく機能しなかった」

だが、南はあきらめなかった。

当時のビズリーチの企業向けサービスの月間売上高は数千万円程度。ただ、ゆくゆくは日本でも雇用の流動化が進み、人材獲得競争が激化する。この先も企業向けサービスに投資していけば、絶対に何十倍もの伸びしろがある。

その結果に到達するには、頑張るだけではダメだ。ブレークではなく、ブレークスルー。あらゆる手を尽くしてやり切る必要があると覚悟を決めた。

「人生で一番キツい時期」

しかし、2015年に入っても現場でブレークスルーの兆しは見えなかった。

それぞれのチームが力を合わせて、人材採用セミナーやメディアへのダイレクトリクルーティングの売り込みなど、様々な企画を立案して企業の採用担当者に働きかけていた。それでも、一向に変化が広がる気配はない。

しびれを切らした多田は、2015年の夏に営業組織の総力を挙げた強化策を打ち出した。新規の企業を獲得するのではなく、成約件数を増やすために人とカネを振り分けるという、乾坤一擲《けんこんいってき》の施策を打った。

だが、結果的にはほとんど成果を出せずに惨敗した。この時期、多田はそれまで経験したことのなかった5カ月連続の目標未達という屈辱を味わっていた。

「人生で一番キツい時期だった」

当時の状況を振り返る多田の口数は少ない。多田だけではない。南も追い詰められているように、周囲には映っていた。

「経営陣くらいしか知らなかったが、当時は相当ギリギリまで追い詰められていた。南は絶対にそのことを現場で口にしなかったけれど、それでもピリピリした雰囲気が漂っていた」。

当時、財務経理室長を務めていた服部幸弘（現ビジョナルグループ戦略室長）はこう振り返る。

降って湧いた恵みのボーナス

そんなときに突如、降って湧いたのが、ＫＤＤＩからのルクサ買収の提案だった。

もともとＫＤＤＩは２０１３年9月に「KDDI Open Innovation Fund」を通じてルクサに出資していた。通信というインフラ事業から、より利用者との接点を持てるサービスへの事業拡大を目指していたＫＤＤＩにとって、ＥＣを展開するルクサは魅力的な事業に映った。

ルクサも、ＫＤＤＩとの資本提携を通じて事業を大きく成長させていた。仮にルクサが買収の提案に応じれば、ビズリーチには巨額の特別利益が入る。

ただ、南は深く悩んでいた。

ルクサは村田に社長を任せて以降、わずか4年で200人規模の組織に成長し、上場準備も進めていた。今、ルクサがKDDIの傘下に入れば、飛躍的に成長することは間違いない。ビズリーチにも、停滞を打開する強力な軍資金が転がり込む。魅力的なオファーではあるが、一方で村田たちは、これまでのように経営の独立性を保てなくなるし、上場の道も消える。

南は最後の判断を村田に委ねた。「村田には頭を下げてルクサの経営トップになってもらった。その信頼関係を失いたくなかった。大切にしたのは村田の判断を支え、要望に応えることだった」と打ち明ける。

結局、村田はルクサの成長を考えてKDDIグループ入りすることを決断した。2015年4月、KDDIのルクサ買収が発表された。

買収から4年後のルクサの業績を見ると、売上高は218億円、営業利益は5億7000万円。村田の判断によって、ルクサは急成長を遂げ、事業規模を10倍近くに膨らませた。ルクサ社長を後任に託した2019年、村田は南らの熱心な誘いを受け、COOとして再びビズリーチに戻った。互いの信頼関係があってのことだ。

ルクサ売却の発表後、南らはビズリーチのブレークスルーにつながる思い切った施策を検討し始めた。

社内での議論の末、有力な選択肢として残ったのがマス広告だった。企業向けのダイレクトリクルーティングを宣伝する方法をあらゆる側面から調べたが、結局、ホームラン級の打開策となる可能性があるのはテレビCMしかない、という結論に行き着いた。

ただし、南はマス広告に懐疑的だった。

「それまでにも新聞広告や交通広告を何回か試したけれど、期待に沿う成果は得られなかった」。効果を明確に数値化できるデジタル広告に比べて、マス広告はプロセスや効果が見えづらく、投資判断を下しにくいことが何よりも不満だった。

一方で、創業期から本格的にオンライン広告の仕組みづくりに取り組んでおり、やれることはすべてやり切ったという実感もあった。利用者の動向を徹底的に分析して1円単位で最適化してきた結果、これ以上の伸びしろはあまりないようにも思えた。

「これはルクサのみんなが持ってきてくれた恵みのボーナスだ。最初で最後、大勝負を仕掛けよう」

全員で覚悟を決め、テレビCMの本格検討に乗り出した。

CMの成功パターンを探せ

南は再び、課題のセンターピンを立てることから始めた。

探ったのは、「CMの成功確度を高めるカギは何か」という点だ。定石通り、徹底的な調査に乗り出した。

当時、テレビCMを打っているインターネット系のスタートアップは何社かあった。南はそうした企業の経営者に次々とアポイントを取り、話を直接聞きに行った。

見極めようとしていたのは、成功のフレームワークだ。成功するCMにはどんな要素が含まれているのか。逆に失敗するのはどんなパターンか。

色々な人に会う中で、南は特にラクスル社長の松本恭攝《やすかね》と、グノシー会長の木村新司の助言が、課題意識の琴線に触れた。

「松本さんは、とにかくテレビもインターネット広告と同じような感覚で、ちゃんとROI（投資利益率）を分析するべきだと指南してくれた。彼らがどのようにCMの効果測定をしているかも細かく教えてくれた」

のちにそのノウハウは、ラクスル自体が「ノバセル」というサービスで商用化していくことになるが、効果を可視化することの重要性を南は教わった。

一方、木村の話は、社外のパートナー選びの重要性を説くものだった。

「テレビCMがうまくいくかどうかは、どうせ予測できない。でも、失敗したら絶対に誰かのせいにしたくなる。後悔したくないなら、最初から一番手の広告代理店、そしてその中でも一番いいチームと組むべきだ。それ以外と組んで失敗したら、無念さがずっと払拭されない」と木村は力説した。

これらの聞き取りから、南は二つの結論に至った。

一つは、自分たちが本気で取り組める広告代理店を選び、その中でエースが揃うチームを探すこと。

もう一つは、CMの効果をネット広告と同じレベルで測定できる仕組みを構築することだ。広告代理店については、悩みに悩んだ末、最終的には木村のアドバイス通り、業界最大手の電通に依頼することを決めた。しかし、ビズリーチのような小さなスタートアップが正面からいきなり電通に依頼しても、本気で対応してもらえる可能性は低い。そこで南は人脈を駆使し、電通の社内事情をよく知るアドバイザーを起用することを決める。

電通とのパイプ役を任せたのは、永田大輔という男だった。永田は学生時代、Zホールディングス社長の川邊健太郎らと共に、電脳隊と呼ぶベンチャーを創業していたが、大学院卒業と同時に電通に入社。テレビ業界を担当したのちに独立し、フリーのプロデューサーとして活動していた。

南は永田に事情を説明し、「このプロジェクトを最優先にするので、同世代のエースを揃えてほしい」と要請する。事情を聞いた永田は全面的な協力を約束し、すぐに電通社内の同期の精鋭たちに声を掛け始めた。

南の思いに共感し、「自分たちの世代を代表するスタートアップを一緒に育ててみたい」と考えるチームが電通内に結成された。当時の南と同じく、全員が30代の血気盛んなメンバーである。集まった顔ぶれを見た南は、このチームと勝負することを決めた。

南はこのプロジェクトを社長直轄とすることに決めた。ビズリーチ事業は既に多田が統括していたが、テレビCMに限っては南が全責任を持った。

「普段は1円単位で必死にマーケティング効果を求めている現場に、いきなり数億円のテレビCMで勝負しろと言えば、規律が乱れるに違いない。多田をはじめ、ビズリーチ事業を担う若手の経営陣に無駄なプレッシャーを与えたくない。一度きりの大勝負だからこそ、すべて自分の責任になるようにした」

いざプロジェクトが動き出すと、すぐに浮上したのがテレビCMで「何を訴求するか」という議題だった。

限られた時間の中でもっとも訴求したい根幹のメッセージはどうあるべきか。「人材データベースの質」「採用コストの安さ」「ダイレクトリクルーティング」など、ビズリーチの持つ価値は変わらない。だがテレビを見ている人がそれを理解できるよう、ビズリーチの価値を改めて定義し直す必要があった。

誰に訴求するのか

ビズリーチの核となる価値を議論するため、まずはテレビCMの訴求対象を決めた。それは採用の決裁権を持つ企業の管理職である。

「電話で営業しても普段は決して電話口に出ることのない、採用の決裁権を持つ経営者や部長クラスにメッセージを直接届けたい」

南ら経営陣の中には最初から明確なターゲットがあったが、チームからは異論も出た。

「せっかくテレビＣＭで無数の視聴者にビズリーチを訴求するのだから、求職者も対象に含めてはどうか」

「経営者や部長の肩書を持つ人は視聴者全体の中で見ればわずかだろう。むしろ視聴者は、圧倒的に求職者の方が多いはずだ」

こうした意見が出ても、南らの意志は変わらなかった。

「あれもこれもと盛り込めばメッセージがブレる。とにかく、採用の決裁者に伝えるＣＭにする」

最後は、南が自分の思いを押し通した。


ターゲットが決まれば、ＣＭを放映する時間帯も定まってくる。採用の決裁者がもっとも見ていそうな時間帯といえば、平日の朝と夕方以降、そして土日だ。南は電通チームの営業担当者と膝詰めで放映枠を決めていった。

この作業は極めてアナログで、Ａ３用紙に番組の編成が記載されており、ＣＭの枠を色分けしながら、どの時間に放映するか決めていく。本来は広告代理店の営業担当者が担う事務仕事だが、南ら経営陣がすべての枠を一つひとつ吟味し、どの時間にＣＭを放映するのかを議論して決めていった。

「夕方５時には、企業の管理職はまだ家に帰っていない。だからここの枠は消してください。その代わり、日曜日のこの時間帯に多く入れてほしい」

放送枠の番組内容や視聴率を細かくチェックし、指示を出していった。もちろん、そんな指示を出す経営者は過去に例がない。電通の営業担当者も最初は驚いたという。

だが、次第に本気度を理解していく。最終的には、営業担当者と南は完全に意思が疎通した関係となり、CM放映枠もあうんの呼吸で調整できるようになった。この細かいやり取りの積み重ねが、大きな成功を呼び込む要因になっていく。

現場の社長が発した一言

CMのターゲットが定まり、いよいよ具体的なメッセージを作品に落とし込む段階に入った。実際のCM制作で重責を担ったのが、当時、電通でクリエイティブ・ディレクターを務めていた北尾昌大だった。

北尾は、それまでにも任天堂などで社長と対話をしながらブランド戦略を設計する仕事に携わり、企業のブランド戦略にも独自の哲学を持っていた。企業ブランドとは、経営者の意識を映す鏡である。そのため、正しいブランド・メッセージを発信するには、経営者の考えを理解するプロセスが欠かせない。対話を重ね、それを正しく表現することで、ブランドの魅力をより高め、伝えられる——。

北尾は常々、そう考えていた。そんなとき、同期入社組の永田大輔から「おもしろいプロジェクトがある」と声が掛かった。

「本当は大企業の経営者と大きな仕事がしたいと思っていた」と言う北尾だが、最初の打ち合わせですぐに南に興味を抱いたという。

通常、企業のCM制作前にはオリエンテーションがある。そこで、会社としてCMを通じてどんなメッセージを伝えたいのか、位置付けや狙いも含めて説明を受ける。ところが、ビズリーチにはそれがなかった。

「むしろ、それを決める社内会議に参加した感じだった」と北尾は振り返る。

南はとにかく、ビズリーチという社名の認知度向上とダイレクトリクルーティングのメリットが伝わることにこだわった。一方で、それを伝える分かりやすいメッセージは、まだ見えていなかった。ビズリーチが新しい採用手法で、優れた人材を効率的に採用できるサービスだと直接伝えても、視聴者にはピンとこないだろう。

「ネット広告のメッセージに引きずられている気がした」と言う北尾は、ヒントを見つけるため、ビズリーチを実際に利用している企業の担当者にヒアリングをしたいと申し出る。

ひらめきが訪れたのは、北尾がヒアリング先の社長と電話で話していたときだった。北尾はその社長に、ビズリーチを利用する理由を何気なく聞いた。すると、社長はこう返した。

「それは簡単ですよ。すぐに働ける人が採れるからです」

ビズリーチを使ったことのない自分でも、その社長の話を聞いてなるほどと思った。そこから「即戦力採用」という言葉を考え、次のようなフレーズを書き出していった。

「中途採用でも優秀な人材に出会える」

「即戦力採用ならビズリーチ」


限られた時間で伝えるべきメッセージは、この二つで十分だと感じた。

メッセージを絞り、具体的なCMに落とし込んでいった。プロデューサーの永田によると、企業向けCMの構成には定石の展開があるという。

①まず、企業が抱える課題を紹介する
②それを解決するヒーロー（ソリューションやサービス）が登場する
③それが何をするか、何ができるかを説明する
④解決された姿を見せる（笑顔になる）

ビズリーチのCMも基本はこの流れに沿って設計された。ただし、微細な工夫が各所に施されている。

一つは、トーンの明るさだ。企業向けCMは男性が登場するケースが多く、どうしても印象が堅くなる。そこでビズリーチの場合は女性を主役に据え、女性の声でサービスの特徴を説明することで、印象を華やかにした。

もう一つは、ビズリーチという名前を繰り返し出すことだ。今回のCMの狙いは、まずビ

ズリーチという名前を知ってもらうことにある。そのためには、可能な限りビズリーチという名前を繰り返す必要がある。完成したCMでは、ビズリーチという言葉を5回も声に出し、文字でも3回表示している。

CMの長さは、内容を印象付けるためにあえて30秒枠で制作した。CMは通常、15秒枠と30秒枠の2種類がある。当然、時間が長い方がメッセージをより豊かに伝えられるが、出稿できる数は減る。その点、南は回数よりもメッセージをしっかり伝えることを選んだ。

ビズリーチポーズ、誕生

のちにビズリーチのCMを象徴する人差し指を立てるポーズは、南ら経営陣が参加したアイデア出しの中から生まれた。

テレビCMの全体の流れが決まりかけたとき、ビズリーチの永田が会議の席でこう漏らした。「インパクトが弱い。サービスを連想できるポーズを入れられないか。例えば、こんな感じで」。そう言って人差し指を立て、「ビズリーチ」と発した。

「恐らく深い考えはなかったと思うが、みんなが納得して、そのまま採用になった」と北尾は言う。

かくして、次のようなテレビCMが完成した。

舞台は、とある会社のオフィス。主人公の人事部の女性社員が、社長室に入り、中途採用候補者の履歴書を手渡す。

「どうせ大した候補は、いないんだろ」と半ばあきらめながら、社長が書類に目を落とすと、目つきが変わる。

「すごい経歴だ」「即戦力じゃないか」

驚きの表情で思わず漏らした社長の心の声を女性社員が代弁し、最後は「ビズリーーーチ！」と人差し指を立ててポーズを取る。

「中途採用でも優秀な人材に出会えます。即戦力採用ならビズリーチ」――。

企画から制作まで、費やした時間は3カ月。一般的なCM制作期間の3倍以上をかけたと、プロデューサーの永田は言う。

「ここまでトップが責任を持って関わったプロジェクトは自分の中でも前例がない。CMの成功は結果論であり、何が決定的な要因になるかは断言できないが、ビズリーチのCMに関しては、トップのコミットが成功に寄与したのは間違いない」

ただし、この全面的なコミットは見方を変えれば、それだけ追い込まれていたとも言える。

経営者が本当に追い込まれると、どうなるのか。

北尾は、その一端を垣間見た。CM案を決める最終プレゼンテーションでのことだ。2案を披露した北尾に、神妙な顔をして聞いていた南はこう声を掛けた。

「今日の夜、少し時間はありますか」

北尾はプレゼンが気に入らなかったのかと思い、そわそわしながら夜の待ち合わせ場所に向かったが、南の話を聞いて驚いた。

「最後は、俺もどっちがいいか分からない」

南は真剣な眼差しで北尾を捉え、こう続けた。

「もしこのCMを失敗したら、次はない。二度とCMはやらないし、マス広告もこれっきりにする。その覚悟でこれまで必死にやってきた。だから、君もその思いに応えてほしい。最後の決断は任せる」

南の真剣な表情に、とてつもないプレッシャーを受けた北尾だったが、逆に心は燃えていった。

ビズリーチの社運が懸かっているのは、その通りだろう。

会社の将来を決めかねない大事なプロジェクトの最終判断を、この男は、社外の人間である自分に委ねるという。自分が思い描いていた経営トップと一緒にブランドをつくるというのは、まさにこういうことなのかもしれない――。そう思うと、いても立ってもいられなくなった。

南との打ち合わせが終わったのは深夜だったが、急いでオフィスに引き返して、仕事に取りかかった。

テレビCM向けの体制を構築

テレビCMの制作の傍ら、南はもう一つ、ある指示を社内に出していた。それは、マーケティングと営業の特別体制の構築だ。

CMを放映したからといって、企業がいきなりビズリーチに問い合わせてくるほど世の中は甘くない。大切なのは、テレビCMによって認知が高まったタイミングで、企業からの問い合わせを増やすマーケティング戦略を組み、同時に電話営業の体制を構築することだ。テレビCMの効果は持って1カ月。認知が一時的に高まっているボーナスタイムに、どれだけの企業の導入契約と求職者を増やすことができるかが成否のカギを握る。

しかし、テレビCMに向けた社内のマーケティング体制はまだ整っていなかった。

その任務を担ったのが中嶋孝昌（現ビジョナル・インキュベーションLogitech推進室室長）だ。当時、ビズリーチのマーケティング全般を任っていた中嶋は、2011年7月にビズリーチに入社した社員番号16番の古参メンバーだ。創業初期から様々な新サービスやプロジェクトの立ち上げを任されており、南の信頼が厚い社員の一人である。

南らと共に過ごした時間が長い分、中嶋は今、何をすべきかすぐに理解して動き出した。

中嶋は、テレビCMによって起こる状況を想像し、マーケティングの全体設計を組んでいった。

テレビCM放映中、利用者はどのような流入経路からビズリーチにアクセスするのか。それぞれの動線を見直し、ホームページやランディングページを刷新していった。「バナー広告の画像をテレビCMと同じ女優に代えるだけで、登録率がぐんと上がる。それが分かったらスマホにも応用するといった、細かい調整を実施していった」と中嶋は言う。テレビCM以外の広告にも、テレビCMと同じ画像やコピーを掲載し、ブランドの統一感を強化。ほかにも、打てる手をすべて打つべく、社内の体制を整えていった。

すると、最終的には通常の体制よりも1・6倍の作業量が発生することが分かった。人員に換算すると20人ほど足りない。しかし営業チームは既にメンバーがフル稼働しており、新たな人を雇うこともコスト的に難しい。

頭を抱えていると、他部署の部長たちが応援に駆け付けてくれた。部長たちがエンジニアやアシスタントに声を掛け、全社総出で、電話の問い合わせ対応などの協力を申し出てくれたのだ。

「社運が懸かっているということを、みんな感じていたんだと思う」と中嶋は振り返る。

一本の問い合わせも来ない

突貫で社内の体制を整えつつ、社運を懸けて取り組んだテレビCMが、2016年2月7日に放映された。放送局はTBSとフジテレビ。

当日は日曜日だったが、念のために会社には問い合わせに対応できる営業組織が臨時出勤をしていた。中嶋もいてもいてもいられず、子どもを連れて出勤した。

そして、ＣＭが流れる。しかし、電話は鳴らなかった。

その日、夕方まで待ったが、一本の問い合わせ電話もなかった。その翌日も、さらに次の日も反応は薄かった。

この先どうなるのだろう――。

口には出さなかったが、多くの社員がそんな不安に駆られていた。

変化が起きたのは、テレビＣＭの放映を始めてから、２週間後のことだった。

ただし、効果は電話による問い合わせという分かりやすい形ではなく、営業の現場に表れた。こちらがかけた営業電話を採用担当者につないでくれる確率がにわかに上昇したのだ。それまで止まっていた商談も、再開しようという連絡が相次ぎ、次第に成約率が上がっていった。

現場にいた多田もその流れを敏感に感じた。

「企業の稟議のスピードが格段に上がって、興味があるというお客様が顕著に増えていった。大手企業からも声が掛かるようになり、ビズリーチのサービス認知度が上がったことを、肌で感じられるようになった」

ＣＭ効果を測定せよ

効果が見えてくる中で、多田は営業現場の定性的な声をまとめていった。

「ＣＭのおかげで稟議が通った」「ＣＭに引かれて問い合わせた」……。

顧客の声は、すべて記録して南に報告した。

１カ月が経ち、ＣＭの効果が少なくとも無風ではないという手応えを誰もが感じ始めていた。月末の数字を見ても、確かに売り上げや商談数は上昇していた。

ここで、南はさらに指示を出した。

「実際にどれくらいの効果があったのか調べてほしい。企業のリード数、商談数、契約成立までの平均時間、求職者の有料登録がどれだけ増えたのか。全部数字で出してほしい」

これは、ＣＭを制作する前にヒアリングしたラクスル社長の松本のアドバイスに基づくものだ。同時に南が楽天イーグルス時代、楽天グループ代表の三木谷浩史から受けた教えでもある。成果を測る方法を考えること。ここで指名されたのも中嶋だった。

中嶋はまず、ＣＭを放映しなかった場合の売上高を、前年の傾向を参考にしながら予測した。それと比較して上振れしている収益部分がどのような経路によって実現したのかを、一つひとつ見ていった。

例えばＣＭ放映後、ネットで「ビズリーチ」という検索が増える。その検索から、実際にどれくらいの企業の人事担当者から問い合わせがあったのか。セミナーやウェブ、電話など、動線ごとに細かく調べていった。同時にどのくらいの求職者が登録し、職務履歴書をアップロードしたのか、CMの効果を予測した。

結果は、衝撃的だった。3カ月で投資金額の大半を回収でき、半年で投資額を上回る効果が出るという予測結果が出たのである。

これを報告すると、南も耳を疑った。「何度も本当か？　と繰り返していた」と中嶋は言う。予測結果には自信があった。

「ビズリーチはインターネットビジネスなので、一般的な商材よりも結果を数字で測定しやすい。大きな誤差があるわけではなく、限りなく実態に近いレベルまで予測モデルを落とし込めた手応えはあった」

これはいけるかもしれない──。

社内は、にわかに沸き立った。実際にテレビCMの効果が見えてきた2016年4月ごろ、南は一気に勝負を仕掛けると決めた。5月、6月、7月と3カ月連続で怒涛のようにテレビCMを放映した。

ブレークではなくブレークスルー

「効果がブラックボックスだ」と考えていたテレビCMも、PDCA（計画・実行・評価・改善）サイクルを回してデータを蓄積していくと、ある程度の費用対効果が測定できる。この事実は、南にとって最大の収穫となった。

テレビＣＭは博打ではなく、永田がビズリーチ創業当初に実践したオンライン・マーケティングと同じように、費用対効果の分かるマーケティング施策に変えることができるのだ。「どのタイミングで広告を出せばいいのか。どのサイト経由だと契約を取りやすいのか。どのタイミングで回収できるのかを、データに基づいて判断できるようになったことが、一番大きかった。投資効果を予測できるようになった結果、継続的にＣＭを打つかどうか判断できる。看板や雑誌などのオフライン広告にも躊躇《ちゅうちょ》なく挑戦できる」と南は言う。

一般に、テレビＣＭは短期的な売上増に効く投資ではなく、中長期的にブランド資産に効果が出る投資だと言われている。それを南が腹落ちして理解できたのは、効果測定で実際に数字が見えたからだった。

テレビＣＭはビズリーチの知名度向上に大きく寄与した。

それまでは１割にも満たなかった「ビズリーチ」というサービスの認知度は、採用担当者（関東エリア）に限れば９割を超えるまでに上昇した。

それに留まらず、ビズリーチの企業名やサービス名は社会に広く知られるようになった。ＣＭの成果は次第に営業に効くようになり、「ビズリーチ」を指名する企業も増えていった。「ＣＭ放映以前は、大半の企業が人材紹介会社で十分間に合っていると門前払いだったのが、

ＣＭ放映後は話を聞いてもらえるようになった」と多田は言う。

サービスに対する信頼性、顧客の認知度は一気に高まり、気が付けば、立ちふさがっていたダイレクトリクルーティングの壁を打ち破りつつあった。

タクシーＣＭのお手本に

ビズリーチのテレビＣＭには、さらに続きがある。

１本目のＣＭを打った翌年のことである。南はある会議に向かうため、タクシーに乗ると、目の前のモニター画面に広告が配信されていた。脱毛やエステの広告が目に付いたが、ふと、見知っているコンテンツが目に入る。経済誌『フォーブス』の記事だった。

「タクシーの乗客とビズリーチの会員はドンピシャで合うはずだ」

ピンときた南は、旧知の間柄の日本交通会長の川鍋一朗に連絡を取った。

「うちのテレビＣＭを流していいですかと相談したら、はいと即決してくれた。それも破格の値段でスタートさせてもらえた」と南は言う。

結果的に、このタクシーのＣＭはビズリーチの代名詞と言える取り組みになった。あまりの反響に、その後のスタートアップはタクシー車内にこぞって広告を出すようになる。

企業向けのＣＭは、社名と印象的なポーズを繰り返し、タクシー車内の広告とも連動させる。南らが構築したこの形は、いつしか「ビズリーチ・フォーマット」と呼ばれ、スタートアップを中心に、効果のあるCMの「型」として広く浸透していくことになる。

地道な活動がCMを支えた

CMの成功によって、ビズリーチの名は一躍、世間に浸透した。ダイレクトリクルーティングという言葉も広がり、直接採用というスタイルは、人材採用の一つの手法として認知されるようになった。

絶大なCM効果の裏には後日談がある。

首都圏で放映したCMの勢いをかって、ビズリーチは地方でも同じCMを打ったが、こちらは反応がいま一つだった。首都圏では大きな反響があったのに、なぜ地方都市は効果がなかったのか。

分析した結果、放映地域での地道なマーケティングや営業活動の有無が、テレビCMの効果に大きな影響を与えることが分かった。「首都圏では何年もの間、ネット広告や営業活動で地ならしを続けてきた。地道な地上戦を続けてきたからこそ、テレビCMという空中戦の成果が出た」と南は語る。単にテレビCMを打てば顧客が集まるというわけではないのだ。

もっとも、南にはCMの効果以上にうれしかったことがある。

テレビCMでは、最後に登場するエキストラの出演者を自社の社員にしていた。経費削減のための苦肉の策でもあったが、自分が現場社員なら出演してみたいだろうと思い、南が電通に提案した。社員にはこれが好評だった。

息子が、娘が、夫が、妻が、働いている会社のＣＭに出演し、ＣＭそのものが話題になっている——。

現場の報告を受け、南は満足そうな表情を浮かべた。

南はＣＭプロジェクトをこう振り返っている。

「企業向けサービスは創業以来ずっと赤字で苦しかった。何年かかってもあきらめないという気概で続けてきたし、企業向けサービスが収益化するまでは上場したくないとも思っていた。投資家は赤字事業はやらなくてもいいと言うからだ。そんな中でも企業向けサービスをやり切ることがビズリーチの存在意義でもあり、僕たちのこだわりでもあった。テレビＣＭをやらなかったとしても、成功するまで続けていたと思うけれど、その場合は結果を出すまでに何倍もの時間がかかったはずだ」

スタートアップは、ブレークするだけではダメで、ブレークスルーしなければ、本当の意味で社会にインパクトを与えることはできない。

ＣＭの成功によって、企業ユーザーを着実に増やせるようになったビズリーチは、安定成長に向けた基盤を確立していく。２０２１年１月時点の累計導入企業数は１万５５００社以上に達し、売上高に占める比率も、企業向けのサービスが、ヘッドハンター向けの売上高を上回るようになった。

創業から7年。ビズリーチはようやく創業当初、南が思い描いたような日本の転職市場に一定の存在感を示すサービスとなった。

第六章

ビズリーチの次

挫折こそ進化の源泉

Connecting the dots（点と点をつなげる）。

没後10年経った今もなお、カリスマ的な人気を誇るアップル創業者のスティーブ・ジョブズ。彼が２００５年に米スタンフォード大学の卒業式で披露した、とりわけ有名なスピーチがある。

17歳で大学に進学したジョブズは、入学早々、退屈な授業に嫌気が差して退学を決意する。哲学など、興味のある講義にだけ顔を出して時間を潰していたが、ある日偶然、「カリグラフィー」というクラスの存在を知る。文字をいかに美しく見せるかという地味な内容だったが、ジョブズは大いに興味を持った。「科学では捉えきれない、伝統的で芸術的な文字の世界の虜になった」と、夢中になって聴講し続けた。

それから10年後。

パーソナル・コンピューターのマッキントッシュ開発に没頭している最中、突然、ジョブズの脳裏にカリグラフィーの記憶が甦ってきた。結果的に、マックにはアウトライン・フォントと呼ばれる書体が組み込まれ、美しいフォントを採用した世界初のパソコンが誕生した。

「もし、大学であの講義を受けていなかったら、今のパソコンには多様なフォントが入っていなかったかもしれない」

こうジョブズが振り返ったのは、有名な話だ。

日々、私たちが積み重ねている「点」の体験は、いつかどこかでつながり、人生の新しい可能性を切り拓くものになる。事前に予見できないからこそ、目の前にある課題に全力で取り組むべきだ――。

「自己の体験には、すべて意味がある」というジョブズのメッセージは、本質的なところで南壮一郎の新事業に対する向き合い方とつながっている。

「挑戦によって得た知見は次の挑戦につながる。だから、すべての挑戦に無駄はない」と南は言う。たとえ失敗したとしても、そこから得た経験は次に役に立つ。

ビズリーチ以降、立ち上げた新事業はすべてそうした点と点がつながった結果である。

再び新事業を立ち上げる

時計の針を、2014年まで戻そう。

南はこの年の夏、創業以来の大きな組織改革を断行した。

社内にカンパニー制を導入し、ビズリーチ事業を統括する「キャリアカンパニー」と、新事業を担う「インキュベーションカンパニー」の二つに分けたのである。

ビズリーチ事業を多田洋祐に任せ、南と竹内真、永田信という創業経営陣の3人は、数人の社員を連れて、インキュベーションカンパニーを立ち上げた。

業績不振や仲違いなどの理由を除けば、スタートアップの世界で、創業からわずか6年で創業経営陣が全員、祖業から離れるのは考えられないことだろう。

企業向けサービスに苦労していたとはいえ、事業としては右肩上がりに伸びていた時期である。キーパーソンが一斉に離れれば、事業継続にリスクが生じかねない。

実際、南が投資家や親しい経営者に相談すると、不安や反対の声が相次いだ。中には「何か勘違いしているんじゃないのか」といった厳しい声も投げられた。

しかし、南にとっては極めて合理的に下した決断だった。

自分自身の適性とやりたいことを冷静に振り返った結果、南は「自分の日常的なマネジメント力では1000人の組織はつくれない」との判断に至った。

今後も継続的に成長し、さらなる規模を追い求めるには、適任者にバトンタッチをする必要がある。そう考えて、数年かけて多田という適任者を見つけ出した。

多田にビズリーチの成長を託し、自分は得意とする新事業の立ち上げに集中する。ビズリーチに続く第2、第3の事業を発掘すると決めた。

「10年後に自分が思い描く企業の姿に到達するには、逆算して、あの時期に動き出す必要があった」と南は振り返る。

創業を支えた3人が全員離れる

南自身の腹は決まっていた。ただし、竹内と永田を巻き込んで新事業に乗り出すべきかは、最後まで迷った。

竹内と永田がいたから、ビズリーチはここまで大きくなった。創業を知る経営陣がいなくなれば、事業が迷走する可能性は高まる。会社の精神的支柱が失われ、人が離れていくリスクもある。

それでも、南は最終的に自分の判断で押し切った。ある二つの出来事が背中を押したからだった。

一つは、ヤフーの経営陣が交代したニュースだ。

2012年、ヤフーは当時社長を務めていた井上雅博（故人）が退任し、後任に宮坂学（現東京都副知事）を指名すると発表した。その際、井上は脇を固めていた役員を全員退任させ、宮坂に幹部人事をゼロから決める裁量を与えた。

結果的に宮坂は出戻り社員を役員に登用するなどの思い切った組閣人事を実現し、大企業病と言われていたヤフーの組織改革に成功する。

南は言う。

「井上さんが自分のマネジメントチームを全員引き連れて退任し、宮坂さんにバトンタッチしたニュースが衝撃だった。経営者として正しい判断を下したと思ったし、簡単ではないことも分かるから、本当にすごいと感心した」

　ビズリーチで多田が結果を出すには、どうすればいいのか。

「僕だけではなく、竹内と永田も離れて、多田が自分の経営チームをつくる必要があると思った」


　もう一つ、南の背中を押したのはサイバーエージェント社長の藤田晋のアドバイスだった。当時、ある会合で南が権限移譲について相談すると、藤田はこう言った。

「離れるなら、究極的にはオフィスを物理的に分けて、日ごろは顔を合わせない形にした方がいい。どんなに経営を任せると思っていても、毎日会社で顔を合わせていれば、創業者としては絶対に口を挟みたくなるから」

　藤田自身の体験に基づいた指南に南も納得し、従うことにした。

「竹内と永田は、まだまだビズリーチに関わりたかったと思う。今でも本当に申し訳なく思うけれど、2人と一緒に新しい事業を立ち上げることが、僕にとっての成功のフレームワークでもあった」

　カンパニー制に移行してからしばらく経つと、南と竹内、永田は、渋谷の本社オフィスにほど近い雑居ビルにオフィスを借り、3人の机を移して、新事業立ち上げの構想を練ることに決めた。

「もちろん、ビズリーチに執着はあった。道半ばという思いも強かった」と竹内も永田も口を揃える。

しかし、最後は「南の頼みだから」と離れることに応じた。南は半ば強引に2人を巻き込んで、新事業の立ち上げに取りかかった。

「求人検索エンジン」に焦点

3人は集まると、改めてビズリーチとして取り組むべき社会課題を洗い出していった。

南は普段から、常に新事業のネタを2～3は抱えているが、まずは制約を設けずに様々な産業で候補となる課題を検討していった。

「国境を越えて展開できる大きな社会の課題は何か、様々な事業を検討した」

もっとも、何もなかった6年前とは異なり、今ではビズリーチという事業が存在する。人材業界での知見も溜まっている。

「どうせなら人材業界で培った経験を生かせる事業にしよう」と事業領域を人材に絞り込み、社会にインパクトを与えられそうな事業を探していった。

そんな中で、3人のスコープに引っかかったのが、「求人検索エンジン」というサービスだった。

求人検索エンジンとは何か。

例えば、検索サイト大手のグーグルで、人や場所のキーワードを入力すると、それに関連するページや地図が表示される。求人検索エンジンもこれと同じ仕組みで、仕事探しに特化したものを指す。

「アルバイト」「渋谷」といった単語を検索窓に入力すると、検索エンジンがインターネット上から該当するサイトを探し出し、渋谷のアルバイト情報を一覧で表示する。通常の検索エンジンと同じように、「平日のみ」「夕方勤務」といったキーワードを増やすほど、結果を絞り込める。

検索結果から興味のある人材募集サイトをクリックすれば、すぐに求人情報に辿り着くことができる。

特定の分野に絞り込んだ検索をすることから、こうしたサービスは「バーティカル検索」や「メタサーチ」と呼ばれている。

2010年代から、海外ではメタサーチ技術が仕事探しの風景を変えていた。

これまでは、無数の広告掲載型求人サイトにある情報を、求職者が手作業で一つひとつ調べて応募しなくてはならなかった。それが求人検索エンジンを活用すれば、キーワードを入力するだけで条件に合った求人情報が表示される。

しかも、そこには自社ホームページだけに掲載された採用情報やハローワークの求人情報まである。

企業側もグーグルと同じような検索連動型の広告を出稿できるため、手軽で廉価に求人広告を出せる。広告効果も測定しやすい。求人検索エンジンは、網羅性とコストにおいて、従来の求人サイトを圧倒するサービスとして注目を集めていた。

急成長する求人検索エンジン市場

南自身が求人検索エンジンの存在を知ったのは、2012年ごろのことだった。

ビズリーチは、創業から3年目の2012年にシンガポールに拠点を築き、アジア版ビズリーチとも言える「RegionUP（リージョン・アップ）」という事業を実験的に立ち上げていた。ビズリーチと同じように、即戦力人材に特化した個人課金型の転職サイトを、東南アジア限定で始めてみたのだ。しかし、海外の転職事情は日本と大きく異なっており、苦戦する。赤字からは脱したが、結局、大きな成長が見込めず2019年に撤退した。

リージョン・アップでは挫折を味わったが、南はこの立ち上げの過程で求人検索エンジンの潜在的な可能性を知ることになる。

あるとき、南がリージョン・アップに流入してくるアクセスを眺めていると、目に留まったサイトがあった。サイトの名前は「Recruit.net（リクルート・ドット・ネット）」。香港拠点のネット企業で、日本のリクルートとは無関係だが、求人検索エンジンの会社であることが分かった。

当時はそれ以上の関心を持たなかったが、新事業を検討する中で再び当時の記憶が甦ってきた。改めて状況を調べてみると、世界中で求人検索エンジンは急拡大しており、巨大市場になりつつあることが分かった。

急先鋒は、米国で生まれたスタートアップで、「インディード」という会社だった。インディードは「求人界のグーグル」と呼ばれ、米国のみならず、欧州や南米でもサービス利用者が急増していた。

「サービスの急成長ぶりを見て、仕事探しのビジネスモデルを完全に変えると直感した」と南は言う。

比較的、要求されるスキルが高くないアルバイトなどの仕事のマッチングは、米国では急速に求人検索エンジンにシフトしていた。ヘッドハンターを介したエグゼクティブ・サーチやリンクトインなどのプロフェッショナル人材のマッチングサービスは残るとしても、アルバイトなどの仕事探しの担い手は、10年後には大きく変わっている可能性が高い。

これは、すさまじいインパクトを与えることになりそうだ——。

南は興奮した。求人検索エンジンの実情を調べるため、世界各国の事業者に取材をする旅に出た。

インディードはもちろん、米国の「シンプリーハイアード」、英国の「キャリアジェット」、香港の「リクルート・ドット・ネット」など、会える関係者には全員アポイントを取り、細かく話を聞いた。

どんなスキルや経験を持った創業者がサービスを立ち上げ、どういう人材を採用しているのか。聞き取り調査を重ねながら、事業を成功させるためのセンターピンを特定していった。最終的に、求人検索エンジンの成功のカギは、検索エンジンそのものの精度にあるとの結論に至った。つまり、自前で検索エンジンを開発する必要がある、ということだ。

日本でサービスを展開するなら、日本語の検索エンジンの精度が競争力を左右する。日本語の微妙なニュアンスを汲み取り、専用にチューニングした検索エンジンを独自に開発することができれば、競争力を持つサービスになるはずだ。

対象とする市場も、パートやアルバイトの求人を多く扱うことで、即戦力人材のビズリーチとは完全にすみ分けられる。ビジネスモデルも広告型で、採用の成果報酬で稼ぐビズリーチの事業とは根本的に異なっている。

必要とする人材もビジネスモデルもビズリーチとは全く違っていたが、逆にその事実が3人の事業意欲をかき立てた。

何よりも、海外ではインディードをはじめ、いくつも求人検索エンジンが急成長していた。

「相当な時間と資金が必要になるが、挑戦しがいのある課題だ」

南は、新たな事業を求人検索エンジンの開発に定めて動き出した。

検索エンジンの精度を高めよ

課題のセンターピンを決めた3人は、課題に取り組む仲間を探し始めた。ここでも南は忠実に、「事業と人はセット」というパターンを踏襲した。

検索エンジンの開発には、その分野に精通したエンジニアが必要になる。3人はそれぞれのつながりをたどり、竹内を中心とした総勢30人ほどのチームをつくり上げていった。

大手システム会社、シンクタンク、フリーランスなど、多様なバックグラウンドのエンジニアが集まった。竹内の下で現場を束ねたのがグルーポン・ジャパンなどでCTO（最高技術責任者）を務めていた山路昇（現ビジョナル・インキュベーション執行役員）だった。

山路によれば、検索エンジンの開発においてもっとも難度が高いのは、検索結果の精度をどう上げていくかにあると言う。

「思った通りの検索結果を表示するためには、膨大なチューニングと改善が必要になる」と山路は説明する。

例えばグーグルで人名を入力すると、著名人の場合はその概要をまとめたボックスが表示され、訪れたい住所を入力すると自動的に地図が表示される。これらの裏では、グーグルが入力した検索ワードから瞬時に検索者の意図を読み取り、結果に返す処理が高速で実行されている。

検索結果の精度が悪いとどうなるか。例えば、仕事を探しているエリアとして、「京都」

と入力したとする。そのまま何も手を加えないでいると、「東京都」の検索結果も表示されてしまう。あるいは仕事の名称。「美容部員」と検索しても、求人内容でそれを「ビューティ・アドバイザー」と呼んでいると、的確な結果が表示されない。利用者の意図に沿った検索結果を出す仕組みが求められるのだ。

検索結果の質は、利用者が検索結果の上位に表示された情報をクリックするか否かで見えてくる。クリックした先でどれだけ滞在しているかも、結果の満足度を測る上では大切な指標だ。利用者がキーワードを入力しても、上位の結果をクリックしていなければ、再び検索入力画面に戻ってくるし、クリックした先が探しているサイトと異なれば、滞在時間も短くなる。

検索エンジンの開発とは、こうした検索精度を向上させるために何度も何度もキーワードを入れながら表示結果を調整するという、恐ろしいほど地道で単調な作業の積み重ねにほかならない。

予想外、最大手の日本参入

プロダクト開発の進捗をにらみながら、南は当初、このサービスを「和製インディード」と打ち出そうと考えていた。求人検索エンジンの存在を日本で知るのは、一部のインターネット業界の関係者に留まっていたからだ。

インディードを有力なベンチマークにしながら、日本語検索に特化した求人検索エンジンだと打ち出せば、利用者も理解しやすいはずだ。インディードが日本に本格参入をする可能性はあるが、その前に「和製インディード」としてのポジションを固めることができれば、十分に戦える可能性はある。

サービスの名称は「スタンバイ」。求職者が仕事を探したいと思ったときや、企業が人を採用したいと思ったときに、いつでも準備ができているという意味を込めた。2015年の開始を目指し、水面下で着々と準備を進めていた。

ところが、想定外のことが起きる。

インディードが、予想以上に早く日本市場に本格参入をしてきたのである。

2012年、インディードはリクルートに買収された。リクルート側で買収を仕掛けたのは、海外M&A（合併・買収）を統括していた出木場久征という人物だった。36歳で当時の最年少執行役員に抜擢され、早くから幹部候補として注目を集めていた出木場は、インディードの買収によって、それまで1割にも満たなかったリクルートの海外売上高比率を4割超まで高めた。その実績が評価され、2021年4月にはリクルートの社長に就任している。

南は当初、リクルートがインディードを買収しても、日本市場への参入は急がないだろうと踏んでいた。

インディードが開発した求人検索エンジンは、リクルートの求人広告ビジネスを破壊しかねないからだ。インディードのようなモデルが浸透すれば、リクルートがこれまで強さを誇ってきた求人広告ビジネスを侵食してしまう。

リクルートの中で日本市場のシェアを奪い合うよりは、むしろ欧州や南米など、展開余地のある市場でインディードを広げていく方がリクルートにとっても有益なはずだ。諸々の条件を考えれば、日本の事業展開は先になるに違いない。そう、踏んでいた。

ところが、南らの予想を完全に覆し、リクルートは2015年、一気にインディードの日本事業を加速させてきた。

スタンバイの事業開始前から、「和製インディード」という最大の訴求点が使えなくなってしまった。

Zホールディングスと全面タッグ

ベンチマークにしていた海外のスタートアップが、国内最大の人材会社の傘下に入ってしまった。これには南も一時、頭を抱えたという。

同じ求人検索エンジンを後発で開発し、正面から対決をしたところで、資本力で互角に戦うのは難しい。インディードと差異化するには、新しいコンセプトを探す必要があった。

議論の末、ひとまず「求人検索エンジン」という打ち出しは封印することに決めた。

その代わり、サービスの位置付けを求人広告を出す企業側に置き、その手間を軽減して便利に使えることを売りにする方針に切り替えた。

「企業側の採用プロセスの課題を解決しようと考えた。例えば、動画面接といった機能を追加して、応募があったらすぐにオンライン面接をして採用できるようにする。スマートフォンで簡単に求人広告をつくり、応募者を管理できるシステムを開発するなど、採用に関わる業務を一気通貫で提供することを打ち出した」と竹内は言う。

2015年5月にサービスを発表したときのプレスリリースにも「求人検索エンジン」という言葉は使わず、「クラウド型採用サービス」と打ち出した。求人検索エンジンは、あくまでも企業の採用を支援する補完的な位置付けに変更した。

もっとも、これだけでは中途半端さは否めない。

圧倒的な市場を持つインディードに次ぐポジションを確保するだけでも、市場規模を考えれば十分に追う価値はあるという考え方もあった。しかし、それを目標にするだけではユニークさは薄れてしまう。では、どうするのか。

実は南は、水面下でもう一つの打開策を模索していた。それが、国内最大手の総合検索エンジンを運営するヤフーとタッグを組むことだった。

「求人検索エンジンのビジネスを日本で多くの人に使ってもらうのであれば、自分たちの力だけでは無理なのは分かっていた。本気で勝負するなら、ヤフーとタッグを組むべきだという思いは最初からあった」と南は言う。

布石は既にしていた。求人検索エンジンの構想を固めた時期から、南はヤフーに求人検索エンジン事業の共同研究を提案していたのである。

さらに2016年2月には、共同で「ヤフーしごと検索」を立ち上げ、スタンバイの求人検索エンジンの技術をOEM（相手ブランドによる提供）でヤフーに提供し、関係を少しずつ築き上げていた。

ヤフーの高い要求水準で検索結果の精度を高めながら、南は折に触れて求人検索エンジンの可能性をヤフー側に説いていった。

ヤフーの重い腰を動かす

ヤフーは当初、求人ビジネスにそれほど関心を持っていなかった。ヤフーを傘下に持つZホールディングス社長の川邊健太郎は言う。

「求人広告の市場は巨大だし、人材の流動化を促すことは日本や社会のためにもなる。ヤフーも力を入れるべきだとは常々思っていた。ただ、ヤフーには伝統的に、日常利用のサービスほど燃えるという遺伝子がある」

検索やネット通販、決済といった、人々が日々利用するサービスを優先しがちになると言うのだ。一方で求人広告となると、転職は一生に数回、アルバイトでも数カ月に1回程度だろう。利用頻度がほかのサービスに比べると低く、なかなか火が付かなかった。

しかし、南はあきらめなかった。川邊や、当時メディア事業を統括していた常務の宮澤弦らに粘り強く訴え続け、少しずつ話を前に動かしていった。

「求人検索エンジンの市場が急成長してきているので、これこそヤフーがやることじゃないですかと何度も発破をかけられた。繰り返し提案をもらって、そこまで言うなら、と動き出した」

こう川邊は振り返る。

ヤフーは求人領域で2004年にリクルートと提携したが、2012年12月には共同サービスの提供を終了し、独自でサービスを運営していた。

こうした事情もあり、南の熱意に押される形で、ヤフーはビズリーチと共同で求人検索エンジンの開発に乗り出すことを決めた。

2016年3月には、Zホールディングスのコーポレート・ベンチャーキャピタルであるYJキャピタル（現Zベンチャーキャピタル）が15億7500万円を出資。2019年11月にはビズリーチとZホールディングスが、新会社のスタンバイを設立し、ビズリーチのスタンバイ事業を移管した。新会社はZホールディングスが60%を出資して持分法適用会社となり、Zホールディングスのグループの中で事業を展開する。

結果的に、スタンバイはビズリーチから切り離す形になったが、南はこの結果に納得している。

「ヤフーや決済サービスのペイペイなど、Zホールディングスのグループの中でスタンバイを成長させた方が、より事業を拡大できると判断した。世の中にインパクトを与えるために何が重要なのかと考えたら、ビズリーチ単独でやることではなく、Ｚホールディングスの総合力を生かして求人サービスの未来の形をつくり出していくことが大切だと思った」

では、Ｚホールディングスとのタッグで、どのようなサービスが可能になるのか。両社とも詳細は明かしていないが、そのヒントになりそうな方針が、２０２１年３月１日に見えてきた。

この日、ＺホールディングスとＬＩＮＥは経営統合の完了を発表し、総利用者数は３億人、国内サービス数は２００超という屈指のネット企業が発足した。

統合の記者会見で、川邊はＬＩＮＥとの統合後の会社の戦略を、こう説明した。

「コミュニケーションのＬＩＮＥ、メディアのヤフー、決済のペイペイと、３つの消費者分野で圧倒的に強いサービスが揃った。今後はこれら３つを核とした経済圏を拡大していく」

コミュニケーション、メディア、決済はいずれも、求人広告ビジネスとの親和性が高い。求人広告を起点に、求人応募者とのやりとりや求人広告、仕事を見つけた後の給与の支払いなど、様々な連携が考えられるだろう。無論、求人検索エンジンが既存の求人広告市場を変えていくだけでも、それなりの市場規模は見込める。

Ｚホールディングスとの合弁会社発足が見えてきた時期から、スタンバイは再び、「求人検索エンジン」を打ち出すようになり、この分野でも本気でシェアを取りに行く決意を見せている。

南にとっては、当初思い描いていた事業の青写真とは全く違うものになった。しかし日本発の求人検索エンジンを成功させるという構想は着実に前進している。

スタンバイから生まれた新事業

実は、このスタンバイの立ち上げの過程で、ビズリーチはもう一つ、新たな事業を立ち上げている。

「これだけ切り出して、クラウド人事システムの領域に攻め込もうか」

2015年当時、スタンバイを立ち上げたばかりの南と竹内は、そんな会話を交わしたことを覚えている。

先に触れた通り、開発チームは求人を出す企業向けの応募管理機能を強化し、必死に違いを打ち出そうとしていた。海外では「ATS（Applicant Tracking System＝採用管理システム）」という、企業の採用業務を一元管理するサービスが広がっていた。ATSを使えば、求人票の作成から応募者の面接調整や選考管理といった業務をオンライン上で一元管理し、業務フローのデータ分析やレポート作成などもできる。

南らは求人検索エンジンの開発に取り組む傍ら、その次の事業としてクラウド技術を活用した人事システムに参入することを目論んでいた。竹内は、スタンバイ事業のためにATSを開発しながら、その先の未来についても思いを巡らしていた。

「ATSを起点に、社員のデータベースから人材活用まで一気通貫で提供できる人事システム事業を立ち上げられないかと考えた。採用、配置、評価、育成、勤怠、給与など、人事に関わる業務をクラウド上で一元管理できるプラットフォームをつくったらおもしろいと思っていた」と竹内は語る。

これが人材管理サービス「HRMOS（ハーモス）」へとつながっていく。

SaaSとAIの波に乗る

折しも、2010年代半ばごろから、日本の企業向けネットサービスに二つの大きな技術変化の波が広がっていた。

一つは、SaaS（Software as a Service＝サース）と呼ぶサービスの広がりだ。

SaaSとは、ソフトウェアをクラウド経由で提供し、月額課金で利用する仕組みのこと。独自にソフトウェアを購入したり、開発したりする必要がないことから、幅広い企業で急速に広がっていた。

営業支援システムの「セールスフォース・ドットコム」やオンライン会議システムの「ズーム」など、様々なサービスが登場し、2020年の企業向けSaaSの国内市場規模は実に6000億円になると言われている。日本でも企業向けクラウドサービスを提供するスタートアップが急増していた。

もう一つの変化は、ＡＩ（人工知能）の社会実装が進んだことだった。

従来のＡＩ研究では、コンピューターが認識できる形で知識を用意し、その知識に基づいた推論を実施していた。

だが、２０１２年にＡＩの学習方法の一つであるディープラーニング（深層学習）がその壁を突き破った。何が知識であるかを機械学習によってコンピューター自身が見つけ出すことが可能になり、学術研究からビジネスへの応用が一気に広がった結果、ディープラーニング関連のスタートアップも相次いで登場した。

ＳａａＳとＡＩを核とする技術変化の波は、既存の産業のデジタル化を急速に推し進めている。

金融、教育、食品など、様々な業界でテックブームが湧き起こり、「フィンテック」「エドテック」「フードテック」などのトレンドが業界ごとに生まれた。人材業界もご多分に漏れず、「ＨＲ（人事）テック」という言葉で、様々なネット企業が参入した。

ビズリーチにとっても、事業領域を拡大する絶好のタイミングになった。

スタンバイを立ち上げた翌年の２０１６年６月、ビズリーチは人事システム領域へ参入すべく「HRMOS」を世に打ち出した。

HRMOSとは、「Human Resource Management Operating System」の頭文字を取ったもの。採用管理だけでなく、人事データベースを中心に、配置や評価、育成、勤怠、給与といった人事領域におけるサービスを統合的に支えるＯＳ（オペレーティング・システム）、つまり基盤になるというコンセプトだ。

採用から人事システム領域へ

HRMOSには、ビズリーチの成長を占う上で、二つの期待がかかっている。

一つは、新たな事業領域への進出だ。HRMOSによって、ビズリーチは祖業である採用のマッチングサービスから、人材活用のSaaSへ事業を広げた。目指すのは、一連の人事プロセスを統合的に管理できる企業向けのプラットフォームだ。

HRMOSが目指す世界を、ビズリーチ執行役員でHRMOS事業部長の古野了大はこう説明する。

「従来の人事は、採用、評価、育成、配置など、プロセスごとに役割と機能が分かれていて、人事データがバラバラに管理されていた。社員の様々な情報を一元管理できれば、組織改革や異動などがあってもすぐに最新データを確認できる。社員と組織の情報が見える化できれば、客観的なデータに基づいた人材活用が可能になる。ひいては、それが企業の生産性を高めることになるはずだ」

現在、多くの組織では、一人の従業員に対して、採用時の情報や人事評価、上長と1対1で話す「1on1（ワン・オン・ワン）」の履歴などが1カ所にまとまっておらず、一人ひとりの社員の情報を総合的に知ることができない。

例えば、採用時には評価が高かったのに、現在はパフォーマンスの出ていない社員がいたとする。これらが大きく乖離しているのは、任せている仕事が違っているのかもしれない。しかし、それも情報がバラバラに管理された状況では分かりづらい。

「一人ひとりの人事情報が蓄積され、それが経営に活用されることで、本当の意味での人材活用ができるようになるはずだ」と古野は説明する。

HRMOSのもう一つの期待は、ビズリーチの収益構造の多様化である。

これまでの採用マッチングビジネスは、採用成約ごとに収益を計上するトランザクション型の色合いが強かった。好景気のときには多くの企業が採用するため収益は伸びるが、景気が悪化すれば下振れするリスクが高まる。

一方のＳａａＳサービスはストック型と呼ばれ、毎月の利用料によって売り上げを立てていく事業モデルだ。契約を積み上げていけば景気変動の影響を受けにくい、安定したビジネスになる。

事業基盤を安定させる上でもトランザクション型とストック型の両方のサービスを拡大することが肝要になる。

点と点をつなげて事業を生む

南らはビズリーチに続く事業を立ち上げながら、その過程で気づいた課題を起点に、また新たに事業を立ち上げるというパターンをつくり出していく。

例えば、ビズリーチの全国展開を進める中で気づいたことがある。地方企業の採用を支援していると、中小企業の多くが、事業承継の問題に直面していると分かった。後継者不足という課題の本質を探ると、最終的には日本の生産性の低さに辿り着いた。雇用の流動化と資本の流動化が一緒に起こらなければ、日本の生産性は上がらない。そんな課題意識から、事業承継M&A（合併・買収）プラットフォーム「ビズリーチ・サクシード」を２０１７年11月にスタートさせた。

またHRMOSを広げていく中で、あちこちの企業から、ＤＸ（デジタル・トランスフォーメーション）という言葉を聞くようになった。調べてみると、経済産業省が中心となり、国家規模でＤＸを推進させようとしていることが分かった。「あらゆる産業のＤＸを加速させるべきだ」と感じた南は、２０２０年2月、トラックの物流を手掛けていた「トラボックス」の買収を発表した。

「社会の課題を解決していると、それがまた新しい課題を見つけるきっかけになる。そのサイクルが回り始めると、取り組むべき課題のストックが、自分の中に常時存在するようになる」

南はこう語る。

ジョブズの言う「点」と「点」が結び付き、新たな事業につながるケースも少なくない。だからこそ、南には無駄という概念がない。

もっとも、新事業の領域が広がるにつれて、すべてをビズリーチ社内で手掛けることに窮屈さを感じ始めるようになってきたのも事実だった。

領域にとらわれず、新しい事業を増やしていくにはどうしたらいいか——。

2018年ごろから、南は会社組織そのものの形に手を加える検討を始めていく。

第七章

グループ経営移行

率いるのではなく支える

「ビズリーチに対する客観的な評価を聞きたい」

２０１８年春。南壮一郎は、都内ホテルのラウンジで、ある男と膝を突き合わせていた。男の会社を見極める投資家としての力量に、南は一目置いていた。男は率直に伝えた。

「売上規模、従業員数を見ても、10年で会社をここまで成長させた実績は立派なものだ。ただし、あえてシビアに言えば、リーマンショックからの10年間、これだけ長期にわたって景気が拡大した時期は過去になかった。ビズリーチの成長は、創業のタイミングのよさによる部分も大きいという見方もできる」

「人材採用領域は景気との連動性が高い。景気がよければ儲かるが、悪化すればたちどころに事業の不透明さが増す。投資家の目線で言えば、このまま採用事業一本足で突き進むことにリスクを感じる。歴史を振り返れば、この好景気がいつ調整局面に入っても不思議ではない。自分なら、ビズリーチの調子がいいこのタイミングで、事業を多角化する体制に変えるだろう」

そして、こう加えた。

「まあ、これは極めて客観的に、ドライに会社を外から見たときの話だよ。最後は事業に携わる人間、事業をリードしていく経営者の意志だと思う。志のないまま多角化すれば、絶対に成功はしない」

南が相談したのは、田中潤二という男だった。

1999年に新卒で入ったモルガン・スタンレー証券時代の同期で、20年来の付き合いになる。南がモルガン退職後に全く違う分野にキャリアを求めたのに対して、田中は金融の世界に長く身を置いていた。

モルガンを退職した田中は、投資ファンドのカーライル・ジャパンなどを経てリーマン・ブラザーズの投資部門に入ったが、2008年の金融危機で会社の経営破綻を経験する。

リーマンの日本事業を買収した野村證券に移った後、2009年に事業の再生支援を手掛ける企業再生支援機構に参画。会社更生法の適用を申請した日本航空の再建プロジェクトを手掛けた。日本航空の再上場を見届け、2013年春にはスタートアップ業界に転じ、オンライン名刺管理のSansanでCFO（最高財務責任者）を務め、上場の道筋を付けた2018年に退社していた。

南が田中に寄せる信頼は厚く、いつか一緒に仕事をしようと秋波を送っていた。

そのほれ込みようはすさまじく、田中がSansanに入社すると知った際には激怒して本人に抗議したほどだ。

Sansan社長の寺田親弘が田中の大学の同窓だったからだが、南はそれを聞いてもなお腹の虫が収まらず、しばらくは社内でも不機嫌極まりなかったという。そんな経緯を聞いていた田中は、Sansanを退任する際には南に連絡を入れていた。

その後、2人はたびたび会い、ビズリーチの経営について色々な話をしていた。

ビズリーチでやれることの限界

この日、いつになくかしこまった南から相談を受けた田中は、投資家の目線からビズリーチの客観的な評価を伝えた。すると、南はこう返した。

「そもそも俺は、起業に興味があったわけではない。事業づくりを通じて社会にインパクトを与え続けたいだけだ」

自分の意志は、社会の課題を見つけてそれを解決する新しい事業を立ち上げ続けることにある。ビズリーチを創業したのも、2009年のタイミングで日本の働き方に課題を感じ、それを変革できる見込みがあると思ったからだ。このまま人材事業だけで終わらせるつもりは毛頭ない。

ビズリーチは多田洋祐を中心とした新しい経営チームへ権限移譲が進み、業績も順調に伸びていた。新事業として立ち上げたHRMOS（ハーモス）も、ビズリーチの新しい柱となることが期待できる。

その傍ら、南自身は事業拡大のために奔走してきた。２０１６年にはベンチャーキャピタルのＹＪキャピタルやグロービスから約49億円の調達を成功させた。ビズリーチの知名度を一気に押し上げたテレビＣＭも継続して打ち続け、ブランド力の維持や向上にもぬかりがなかった。

一方で、現状の組織体制に成長の限界を感じていたのも事実だった。これ以上の新事業を生み出し続けることが、会社の仕組みとして難しいと感じるようになっていたのだ。

必要とする人材が違う

第一の理由は、事業の成長ステージごとに求める人材が異なることが顕著になっている点にある。

２０１４年に導入したカンパニー制によって、一つの会社の中でも、既存のビズリーチなどの事業を担う組織と新事業を立ち上げる組織を二つに分けることはできた。

しかし、時間の経過と共に、それぞれの事業の成長段階によって求める人材が異なることが明らかになってきた。

ある程度事業の基盤が固まってきたビズリーチ事業では、組織的に事業を成長させられる人材が必要になる。一方で新事業を立ち上げるときには、自分で仮説を立てながら能動的に動き、リスクを取れる人材が理想だ。良しあしではなく、事業の成長段階に応じて活躍できる人材は違うということだ。

問題は、ビズリーチにはそうした人材を配置できる仕組みがないことだった。

カンパニー制を立ち上げてしばらくは、新事業の立ち上げに必要な人材を社内からトップダウンで、半ば強引に引っ張ることもできた。しかし組織の成長と共に、そうした属人的な人事は混乱を招くようになってきた。事業の成長ステージに応じて人材を登用する仕組みが、組織上でも必要になっていたのである。

第二の理由は、人事評価の問題にあった。

既存事業と新事業では人事評価のポイントも考え方も違う。仕組みを改善しながら地道に成果を積み重ねるビズリーチなどの社員と、前例のない中で日々、挑戦する新事業の社員を、同じ物差しで評価するのは難しい。

しかし、一つの会社で二つの人事評価制度を運用することも現実的ではなかった。

「組織が小さい段階では現場の運用で何とか対応できたが、組織が大きくなるにつれて人事評価のズレが無視できなくなっていた」

創業メンバーの永田信はこう振り返る。

最後の理由は、経営陣の意識の問題だった。組織を任せる側と任される側の双方で、完全には意識の切り替えができなかったのである。

例えば、ビズリーチ事業で大きな決断を下す局面に置かれた場合。一義的に、事業の責任は多田にある。それでも、どこかで「最後は社長の南が決めてくれる」といった甘えが生まれてしまう。

一方、南をはじめとした創業経営陣にも、「最後は自分たちが決める」という意識が心のどこかに残っている。その結果、責任のバトンを完全に渡し切れないという問題がたびたび生じていた。

「カンパニー長と社長では、社内外での見られ方も重みも全く違う。本当のリーダーを育てるには、社長という肩書を持ってマネジメントに当たってもらうべきだ」

創業メンバーの竹内真は当時、中長期的に新事業を増やすためにも、経営者として鍛錬できる機会と場を多くつくる必要があると感じていた。


南の説明を聞きながら、田中もビズリーチの組織が抱える課題がどこにあるのかを理解しつつあった。

ビズリーチの規模拡大と共に様々な制度が大きな組織に最適化されていった結果、少人数の事業にはそれがそぐわなくなっている。このまま進んでいけば、新事業の立ち上げはどんどん難しくなっていくだろう。

「そうであるなら、事業を多角化するグループ経営体制を本気で検討するべきだ」と田中は言った。投資家の目線からもそれが合理的だし、南自身の新事業を立ち上げ続けたいという意志にも合致する。そして、やるなら業績の好調な今から始める方がいい。

ただし、と田中は付け加えた。

「具体的に検討するなら、南にも相当の覚悟が必要だ」

グループ経営体制に移行すると言えば響きはいいが、実現するにはメリットもデメリットもある。

理屈上は、成長しているビズリーチ事業にさらに人材と資金を投下することがリターンを最大化するための最適解である。それなのに新事業に資源を配分するということは、本来得られたはずの利益を逃しているとも言える。

中長期的な会社の成長のためとはいえ、そこまでのリスクを冒して、多事業化を進めるべきなのか。

「投資家への説明も含めて、相当の覚悟と成長シナリオを描けなければ、前に進めるのは難しい」と田中は言った。

南の経営者としての位置付けも、グループ経営体制に移行すると大きく変わる。

南の役割は、個別事業を見るという小局から、グループ企業全体を見てヒト・モノ・カネという経営資源をどう配分するかという、より大局的な判断に移る。これまでやってきた事業の意思決定は、それぞれのグループ会社の社長に移譲していく必要がある。

これは、言うは易く、行うは難しである。

過去にも、ソフトバンクグループ会長の孫正義やファーストリテイリング会長の柳井正など、多くの卓抜した創業経営者が権限移譲に失敗している。「後任に委ねる」と一旦は退いても、その手腕に満足できなかったり、自分の意見との相違が出ると、再びトップに返り咲くケースは珍しくない。

傍から見れば理解し難いが、創業者が自分の起こした会社を守ろうとする思いはそれほど強いということの裏返しでもある。

執着心を断ち切るには、相当の腹を決めることが必要だ。自分の権限の制約を受け入れ、グループ経営を担う仲間を信じることができるのか。

「その覚悟があるなら、一緒にやろう」と田中は言った。


これに対する南の答えは、明快だった。

「最初の問いに対しては、僕はやっぱり新しい事業をつくり続けたい。色々な産業や業界の構造を、新しい時代の仕組みにどんどん変えていきたい」

成功体験にしがみついていては変化は起こせない。変わり続けることこそ、自分が考える会社の存在意義であり、それを社員に示すためにも最初に自分が行動で見せなければならないという覚悟がある。

二つ目の問いも、南はビズリーチの経営を通じて、成長段階に応じてマネジメントの担い手を代えるべきだという確信を持っていた。

立ち上げ期、成長期、マネジメント期と、事業の成長フェーズに応じて適所適材で経営チームを変えるのが理想であり、その中でもトップに誰を据えるのかは重要なポイントとなる。事業の任せ方はカンパニー制に移行した際、多田への権限移譲を経験して学習している。

「ここ数年、多田を中心とした新しい経営チームと共に、権限移譲のあり方を学んできた。十分練習はできている。新しいグループ経営体制になっても乗り切れる」

こう断言し、南は改めて田中に協力を要請した。

「これをやり抜くには、心から信用できるパートナーに舵取りを任せたい」

最後は南の熱意に押される形で、田中は社長室長としてビズリーチに参画した。

持ち株会社の位置付けは何だ

グループ経営体制への移行に向けて、南ら経営チームは、まず持ち株会社の位置付けを決める作業から始めた。

新しい事業を連続的に立ち上げるための理想的なグループ経営とは何か。その場合、持ち株会社はどのような存在であるべきか。漠然とした方向性を、具体的な言葉に落とし込む必要があった。

この難題に挑むにあたって、南はある人物に連絡を取った。

クリエイティブ・ディレクターの小西利行。博報堂出身のクリエイターで、2006年に独立し、POOL（プール）という会社を経営していた。

広告のコピー制作をはじめ、ブランド戦略やマーケティング、企業アイデンティティのコンサルティングまで、企業メッセージを的確に伝えるプロフェッショナルとして幅広く活動している。

「グループ経営体制への移行を機に自らを再定義したい。ついては、そのブランドの方向性を定める大切なプロジェクトを助けてほしい」

前々から南に興味を持っていた小西は、前向きに検討すると応じた。同時に、まずは会社の人間にヒアリングしてみたいと条件を付けた。

「南くんも含めて、ビズリーチという会社がどこに向かいたいのか、どんな姿を描いているのか、全体感を知っておきたいという気持ちがあった」と小西は振り返る。

その後、小西はインタビューをした竹内と永田の話を聞いて、軽い衝撃を受けた。

「目指したい姿がないと言った」と小西は明かす。2人は「どこを目指すかというゴールを決めたくない」と口を揃えたのだ。

一般に、企業は自社の目指すべきゴールを定め、ビジョンを言葉で表現して、社員をはじめとしたステークホルダー（利害関係者）に周知する。

「働き方の世界に革命を起こす」「すべての人が幸せに働けるように」といった具合に、大抵は分かりやすい言葉で目指すべき対象を指し示す。

それが会社の位置付けを再定義する作業であると思っていた小西だが、竹内や永田の話は、そんな一般論からすると理解に苦しむ内容だった。

2人共、「将来はどう変わるか分からないのだから、目指すべきビジョンを今から定めたくはない」と言う。

「仮に、『この事業領域に私たちは進みます』と宣言したとして、時代が変わればやっぱり違う方向に取り組みます、と言わざるを得ないかもしれない。そうすれば、ウソをつくことになってしまう。前面に立って引っ張る南にそんな格好悪いことはさせたくない」と2人は口を揃えた。

時代が変われば、やりたいことも変わるかもしれない。そうなっても、対応できる会社でありたい。だから、ビジョンを言葉にして会社の方向を縛りたくない——。

「話を聞いていくと、うんうんなるほど、という感じなんだけど、普通のアプローチではない。今までにないユニークな発想で、逆に興味が湧いた」と小西は振り返る。

時代のゆがみを解消する会社に

では、目指すゴールを決めないとすると、果たしてどんな会社にしたいのか。

小西はほかの経営陣にもさらに取材し、次のような仮説を持つようになった。

「彼らは、時代の発展に伴って生まれるゆがみを次々と解決する会社にしたいと思っているのではないか」

あるブレーンストーミングの席で、複数の国家を連ねる連邦にグループ経営を見立ててはどうかという案が出た。「ビズリーチ・ネーション」というイメージで、様々な国が割拠するように事業会社が連なっていく。しかし、最終的にはボツになった。「国にすると、僕らが他国を征服するために課題を解消するという印象を与えかねない。課題解決は制圧ではなく、社会に喜んでもらうためにやりたい」

それが、却下の理由だった。

持ち株会社のスタンスは、成長する事業会社を下支えする存在であること。事業会社を束ねて上に立って先導するのではなく、課題を一つひとつ解決していくことに意義がある。

目指すのは、地味に、謙虚に、社会の課題を解決し続けること——。

小西は議論を重ねる中で、南ら経営チームから、青くさいほどの真摯な姿勢を感じ取っていた。

「課題をどんどん解決していくこと自体がビジョンなんじゃないか。一つのビジョンに固執する集団ではなくて、あらゆる社会のゆがみを正すような、そんな大きな構想を持つべきではないか、という話になっていった」と小西は言う。

引っ張るのではなく、下支えする

議論の焦点が次第に定まっていった。南は国として統治するイメージを嫌がり、持ち株会社を土台として支える存在にしたいという思いを持っていた。

そんなある日、プロジェクトメンバーでビズリーチやHRMOSのロゴデザインを手掛けたデザイナーの遠藤大輔がこんな言葉を発した。

「南さんの言う土台は、プラットフォームのようなイメージなんじゃないか。ホールディングス・アズ・ア・プラットフォーム」

この言葉に南は膝を打った。通常、持ち株会社の位置付けはグループの事業を俯瞰的に見ながら、資源配分をする役割だ。言い方を換えれば、上からの目線で全体を見ているとも表現できる。

しかし、南が目指しているのは逆だ。あらゆる事業の後ろに回って、後方支援をしながら支えていく。「だから、プラットフォームという言葉がピンときた」と南は振り返る。


アイデアはさらに膨らんでいった。

持ち株会社とそれぞれの事業が記された図を見ながら、小西がおもむろに南に言った。

「普通、持ち株会社はグループ全体を司る存在だと考える。だから図を描くときも、それぞれの事業の上に書く。でも南くんの考える持ち株会社は、それぞれの事業の下に置いてある。事業を下支えして、グループ全体の基盤となるために存在する」

これをきっかけに、議論は一つの方向に収斂していった。

・持ち株会社は、グループ全体を導くのではなく、下支えする存在となること
・グループ全体のビジョンは掲げず、ミッションとバリューだけを定めること

ほかの企業のように、ビジョンを一つのビジネス領域で捉えるのではなく、「僕らがやりたいことはこれだ」という行為を掲げる。すべての課題を可能性と見て、それを次々と実現することと自体がこの会社の最大の特徴である。

小西は、プロジェクトを通じて経営チームが何度も使った「可能性」というキーワードに着目した。

思案の末、小西は「新しい可能性を、次々と。」というグループミッションを提案した。領域を限定せず、あえて行為を表現するイメージから辿り着いたフレーズだった。

この言葉を聞くと、経営メンバーも全員腹落ちした。小西が提案したいくつかの社名候補のうち、全員がしっくりきた「ビジョナル」がグループ名に決まった。

新グループのビジョナルはインターネットの力で、時代がもたらす様々な課題を新しい可能性(ビジョン)に変えて、世の中の革新を支えていく。「社会にインパクトを与え続ける」という志や事業の下に仲間が集まり、新しい仕組みやムーブメントを生み出すことで、本気で実現したい未来へ加速させる——。

南は、ロゴに込めた意味をこう説明する。

「ビジョナルのロゴマークの左端に付いている二つの『＞』は、90度右に回すと「V」を二つ重ねた形になる。これが我々の根っこにある持ち株会社の存在意義のイメージだ。ここからどんどん事業が生まれていく、発射台になるという意味を込めた。事業を統率する経営チームがそれぞれ自分たちのアイデンティティを持ってほしい。持ち株会社は、新しい可能性を見いだすことに徹する」

社名変更は決意表明

ビジョナルという社名と位置付けが決まり、グループ経営体制に向けた準備を進める中で、経営陣が懸念していたのは事情を知らない社外のステークホルダーの反応だった。

多くは、社名変更の決断を「理解できない」と反対するだろうと予想していた。実際、その反発は予想以上のものだった。

「ビズリーチのブランドを捨てるのか」「持ち株会社になぜビズリーチの名前を残さないのか」「あまりにももったいない」……。こうした声が続出した。

南もある程度、覚悟はしていた。

「グループ経営体制への移行は簡単には理解されないと思っていた。本当にその力が発揮されるには、ビズリーチ以外の新事業がそれなりに育つ必要がある。だから、どうしても時間がかかる」

「人間は成功すると、どうしても小さくまとまろうとする。一度成功したら、居心地がいいからそのまま同じ場に留まってしまう。でも、それは自分のスタイルではない」

立ち上げる事業の数ばかりを追うつもりはないが、課題を探し続けなければ、会社も自分も変わらない。変わり続けるために、学び続けたい。それを実現するためのグループ経営体制なのだ。

「創業から10年が経ち、１４００人の仲間が集まる会社に成長した。ならばこれからは、この１４００人を創業メンバーとした新しい会社を、ゼロからつくっていきたい。未来の課題を、我々の力で新しい可能性に変えて、自分の行動で示すこと。社名を変えたのはその覚悟にほかならない」

米スタンフォード大学教授のチャールズ・オライリーらの提唱する『両利きの経営』。企業の永続的な成長には、既存事業を磨き込む「深化」と、新事業を生み出す「探索」の二兎《にと》を追うことが不可欠としている。

だが一般には事業が成熟するに伴い、成功体験を重ねた既存事業の深化に偏っていく。創業から10年余りのビズリーチも例外ではなく、このままでは人材業界の成功でまとまってしまうという危機意識が、南にはあった。

グループ経営体制への移行は、成功の罠から抜け出すための思い切った探索へのシフトでもある。

当時の状況について、田中はこう振り返る。

「ビズリーチのブランド力を捨てることに、誰よりも大きな恐怖と懸念を抱いていたのは、南自身だったと思う。愛着や執着も含めて。でも、本人がそれを捨てると高らかに宣言した以上、周りはもう納得するしかない。もったいないとは一切思わなかった」

持ち株会社の明確な位置付けが決まり、社名を変えたことで、結果的にビジョナルは2020年2月から、次のようなグループ体制になった。

・ビズリーチ——ビズリーチ、人材活用プラットフォーム「HRMOS」、OB、OG訪問ネットワークサービス「ビズリーチ・キャンパス」、「キャリトレ」などHRテック事業を統括

・ビジョナル・インキュベーション——事業承継M&A（合併・買収）プラットフォーム「ビズリーチ・サクシード」、「BizHint（ビズヒント）」、「yamory（ヤモリー）」など新サービスの立ち上げを統括

・スタンバイ——Zホールディングスとの合弁事業会社として、求人検索エンジンを運営

グループ経営体制に移行するメリットの一つは、事業のM&Aによって、新しい分野に参入しやすくなるところにある。そのためこの先は、ゼロから事業を立ち上げるほか、M&A

なども活用しながらグループ全体の成長を加速させていく。

南はグループ経営体制への移行を進めながら、並行してＭ＆Ａを生かした事業の多角化に乗り出していく。

Ｍ＆Ａで新領域に進出

グループ経営体制へ移行した２０２０年2月、ビジョナルは物流業界で荷主と運送会社をマッチングするサービスを提供するトラボックスの買収を発表した。

人材とトラック。一見、関連性の低そうな両者を結び付けるのは、「マッチング・プラットフォーム」というキーワードだ。

トラボックスは１９９９年、荷物を運んでほしい事業者と、荷物を運びたい運送会社をインターネット上で結ぶサービスを提供するスタートアップとして誕生した。それまでの運送業界では、荷主はその都度、電話などのアナログな方法で、荷物を運んでくれる運送会社を探す必要があった。それがトラボックスを活用すれば、簡単に運送会社が見つかるようになる。この利便性が受け、創業20年で、荷主と運送会社を結ぶ国内最大級のマッチング・プラットフォームへとして成長した。

しかし、近年は技術革新の波に乗り遅れていた。

「スマートフォン、クラウドなどと技術が進化する中で、システム面で後れを取っていた」

と長くトラボックスの社長を務めてきた吉岡泰一郎は言う。

運送会社からは変わらず高い支持を得ていたが、将来の展望が描けず、事業に行き詰まりを感じて会社の売却を模索していた。

この情報をキャッチしたのがビズリーチだった。

「こんなにも長く愛用されているサービスがあるのか」

南はトラボックスの事業を見て驚いた。数千社のトラック運送会社が日々使うライフラインになっている。

「本質的に価値がなければ、20年もの間事業を続けることはできない。中小の運送会社数千社が、今も毎日トラボックスを使っている。こんなサービスをゼロからつくれば、何年もかかるだろう」

ビズリーチが求職者と企業を直接つなぐように、トラボックスでは荷主と運送会社の情報を直接オンラインでつないでいる。

ビズリーチが、中途採用のマッチングサービスから発展して、企業向け人材活用サービスHRMOSを開発したように、トラボックスでも、ユーザーである運送会社に対して、配車手配や受発注管理のクラウド型支援システムを提供できれば、物流業界の生産性を一気に高められるのではないか。

調べれば調べるほど、物流業界は電話とホワイトボード、紙とファックスがメインのアナログな世界だということが分かった。

ビジョナルの力とトラボックスの信頼性やブランド力、そして圧倒的な顧客数という無形資産を掛け合わせれば、これまで遅れていると言われてきた物流のＤＸ（デジタル・トランスフォーメーション）を一気に進められるはずだ。

強いチームは人で決まる

課題と目的を明確にしたら、次はそれを担う仲間を見つけてくる。南はここでも、「事業と人はセット」という考え方を忠実に守る。

２０２１年２月、トラボックスは新しい経営体制を発表した。新社長に就任したのは片岡慎也という男だ。

片岡は、米オハイオ州立大学でマーケティング＆ロジスティクス学科の学位を持ち、物流コンサルティング会社や日本のアスクルで働いた経験を持つ。その後、インターネットの世界に引かれてグリーに転職。同社の米国事業の立ち上げに参画した。そこからメルカリに移り、再び米国事業やメルペイの立ち上げに携わった。物流の経験だけでなく、インターネットの知見を持つ。「まさに、物流業界のＤＸを担うのにぴったりの人材」と南は言う。

プロダクト開発リーダーには、不動産テックのスタートアップでＣＴＯ（最高技術責任者）を務めていた石田雄一をスカウト。このチームに、事業開発リーダーとしてビズリーチで培ったノウハウを注ぎ込む中嶋孝昌を指名した。中嶋はビズリーチ創業期のメンバーで、第五章にも登場したビズリーチの企業向けサービスの立ち上げを担った人物である。

トラボックス創業者の吉岡は会長に就任。運送会社とのネットワークを生かして新サービスの展開を進めて事業を拡大する。

早速、サービスを全面的にリニューアルし、トラック運送会社の業務を支援するシステムなども開発している。ビズリーチで養ったマッチングの技術と、HRMOSのクラウド型業務管理ソリューションを同時に提供するイメージだ。

トラボックスの経験を踏まえて、南はこの先、さらに本質的な課題で似た構造を抱える他業界への進出を検討している。

「これまで立ち上げてきた事業では、採用や人事、法人営業、経営企画といった企業の中の〝機能〟をデジタル技術で効率化してきた。一方で、最近では様々な産業のデジタル化が進んでいる。色々な省庁のレポートを見ても、デジタル技術によって産業そのものの構造を変えなくてはならないと指摘している」

「国土交通省なら物流や建設、金融庁は金融業界全体のデジタル化だ、と。産業構造そのものを抜本的に変革していかなくてはならない。ゼロから新事業を立ち上げて変革を起こすこともしていくが、これからはM&Aも有力な選択肢になる」

M&Aによる事業の多角化は、ビジョナルにとってのリスクヘッジにもなる。

「多事業化には二つの側面がある。一つは、新しい事業をつくり続けたいという南の意志。もう一つは、マーケットに対するリスクヘッジ。同じ分野の事業ばかりを展開していると、ダメになるときは一蓮托生の運命を辿る。リスクヘッジの観点で言うと、ビズリーチと全然関係ない事業に挑戦するのは非常に合理的だ」と田中は説明する。

その意味でも、トラボックスの成否は今後、ビジョナルが進めていこうとするM＆Aを通じた多角化の試金石になる。

南に課された役割

それぞれの事業を下支えする持ち株会社。これまでにない新しい発想であることに違いはないが、それを実際に機能させるには、南にはグループトップとしての役割が求められる。

一つは、グループの経営資源をバランスよく配分すること。

会社全体で約１４００人の社員を抱え、ビズリーチ事業では毎年数十億円の利益が上がるようになった。その人と資金をどの事業にどれくらい割り当てるのかは、極めて重要な課題となる。この判断ができるのはグループのトップだけだ。

「それぞれの事業の経営チームは、分配された人と資金を使って価値を最大化することを考える。しかし、そもそもどの事業に何人配置するのが正しいのか、将来を見据えて何をどれだけ配分するのかは、南が決めなくてはならない」と田中は語る。

資源配分には、事業の経営チームの人事も含まれる。

今後は、外部から招聘するだけでなく、グループで育成した人材の登用も大切な役割になるだろう。グループ内の人材が様々な成長段階の事業で自分を磨く機会をつくるのも、グループ経営体制の狙いだ。

「個人の得意、不得意を見極めながら、事業のフェーズごとに最適な経営チームをつくれるのがビジョナルの強み」とCFO（最高財務責任者）の末藤梨紗子は言う。この強さを維持し続けることが、南の大きな役割になる。


二つ目は、それぞれの事業に、しっかりとした成長のフレームワークを植え付けること。経営の執行は事業の経営チームに預けた上で、グループ経営として事業を可視化し、成長につながる様々なリソースを用意する必要がある。

さらに、会社全体の成長を支えるための行動規範や規律も必要になるだろう。

例えば、南の後を引き継いでビズリーチの社長に就いた多田は、マネジメントのノウハウをハンドブックのような形でまとめて記録している。

様々な経営の「型」をノウハウとして蓄積し、社内大学や研修を通じて社員に浸透させる仕組みは、ほかのグループ会社にも広げる必要があるだろう。「単にグループ経営に移行するだけではうまくいかない。それぞれの事業がノウハウを共有できる仕組みもセットにする必要がある。その共有はこれからの課題」と南は言う。

事業づくりがDNA

最後は、新しい事業のタネを探し続ける必要があるということだ。

これまで、南の力量に依存しがちだった新事業の立ち上げについても、どこかで仕組み化させる必要がある。時代の流れに応じて取り組むべき事業を的確に仕込まなくてはならない。社会構造の変革を捉えて事業を立ち上げ、新しい産業の仕組みをつくること。新しい才能を発掘して登用し、新しい事業を起こすこと。つまり南はこれから、新事業を生み出す仕組みそのものをビジョナルの中に移植していかなくてはならない。

「今は転換期だから、南にとっては一番つらい時期だろう」

こう田中は見ている。

グループ経営と言いながらも、現状のビジョナルの売上高の8割近くをビズリーチ事業が生み出している。南自身も自覚しているように、当面はビジョナルといっても、中身はビズリーチのパフォーマンスとほぼ同じになる。

ビズリーチと同じくらいの事業が、グループ会社に2つ、3つと生まれない限り、「ビジョナルの役割は何か」といった指摘は今後も続くはずだ。

その状態から抜け出すためにも、ビズリーチに並ぶ売上高数百億円規模の事業を、早期に育て上げる必要がある。

もっとも、そうした周囲の心配をよそに南は至って平静だ。

「ビジョナルの競争力は終わりなき好奇心。それがあれば何も心配はしていない。もちろん、一つの事業領域に集中した方が効率的なのかもしれない。でも、それでは満足ができない。取り組む領域が広がり、次々と新しい事業をつくること。それが、この会社の存在意義」

経営者としての南のキャリアも、ここからは新しいフェーズに突入していく。

実は、南がビジョナルというグループ経営体制をつくったもう一つの理由がある。

それが、これからの個人の働き方の変化を見据えたものだ。次章で紹介しよう。

第八章

選ばれる会社の条件

事業は社員との約束

「この人とは、価値観も考え方も絶対に合わない」

ビズリーチ副社長を務める酒井哲也の南壮一郎に対する第一印象は、最悪だった。

2014年3月のことだ。当時、リクルートの人材紹介事業で営業部長を務めていた酒井は、部下の結婚披露宴に出席していた。

新郎の上司として祝辞の挨拶を終え、緊張から解放されて同僚と談笑していると、同じテーブルに見慣れない男が座ってきた。同じ人材業界のビズリーチで働く、新婦の上司の南だった。

なれなれしく話しかけてくる南に、「デリカシーのない人だな」といぶかしんでいた酒井だったが、海外スポーツという共通の趣味が見つかり、定期的に飲みに行く関係が始まった。

酒井は幾度となく南にビズリーチへの入社を誘われたが、断り続けていた。「結局、インターネット企業の経営者なんて、会社の企業価値を上げて高く売り払うことが狙いなんだろう」――。そんな猜疑心があった。

その日も入社を勧められた酒井は、南にわざと挑発的な質問をぶつけた。

「あなたは、本気で人材業界を変える気があるんですか」

本気だと答えても心から信じる気にはなれなかったし、「企業価値を高めて売り払いたい」と言われても嫌だ。果たしてどう答えるのかと思っていると、南は意外な返事をした。

「うーん……。分からない」

自分は本気で日本の働き方を変えたいと思っているし、仲間との事業づくりがすごく楽しいからこの事業をやっている。

しかし10年後、20年後に自分が何をやっているのかは、正直、自分でも分からない。逆に分からないからこそ、今を一生懸命生きるというのが自分の価値観だ。

南は、そう答えた。

「南の考え方に引かれた。素直な人だと思ったし、表面的には自分とは合わないと思ったけれど、根底にある価値観は同じなのかもしれないと思った」と酒井は振り返る。

大学卒業後に海外スポーツのライセンス・ビジネスを手掛ける中小企業に入社したが、翌年にはその会社が経営破綻した。挫折を糧に、リクルートに転じてからは、毎日を一生懸命生きることを心掛けてきた。そして、30歳を越えるころには営業部長に抜擢されていた。

南の話を聞きながら、酒井はヒリヒリした気持ちで毎日を過ごしていた若いころを思い出していた。

「こういう人と一緒に働くのも、おもしろいかもしれない」

結局、南の言葉が決め手となり、2015年11月、酒井はビズリーチへの入社を決める。

現在はビズリーチ事業の責任者を務めながら、副社長として奔走する。

採用こそ競争力の源泉

最初は入社する気はなかったが、何度も対話を重ねるうちに、気がついたらビズリーチに入ることを決めていた。そう話すのは酒井だけでない。

「転職は全く考えていなかった。ただ、南らと話すうちに変革期の会社に興味を持った。『世のため、日本のために』という自分の価値観とも合っているように感じた」

米モルガン・スタンレー証券から英グラクソ・スミスクラインを経て、現在はビジョナルＣＦＯ（最高財務責任者）を務める末藤梨紗子は語る。

「ビズリーチに入る6年くらい前から誘い続けてもらった。この会社の仲間となら、社会を変える新しい挑戦ができると確信した」

そう明かすのは、英スマートフォンゲーム会社キング・デジタル・エンターテインメントの日本代表を務め、その後ビズリーチのＣＳＯ（最高戦略責任者）として入社した枝廣憲だ。

「何度も入社を誘われたが、そのたびにタイミングが合わずに断っていた。それでもあきらめずに連絡をくれて対話を続けているうちに、新しい環境で自分の力を試してみたいと思うようになった」

会計ソフトを手掛ける弥生の取締役からビズリーチ社長室に転じた安河内崇も、こう話す。

「最初は自分の能力を生かせるイメージはなかったが、経営陣や若手世代と話しているうちに、自分がもう一段成長できる場所はここかもしれないと感じた」

三好加奈子は、そんな希望を胸に米ファイザーから転じ、現在はビジョナルのＣＨＲＯ（最高人事責任者）を務めている。

共通するのは、南ら経営陣と会話を重ねる中で、この会社を自己実現の場として見るようになったという点だ。

安定した大手企業に勤め、スタートアップに縁のなさそうな人間であっても、南は持ち前の巻き込み力でどんどんと共感の輪を広げていく。この南の巻き込み力こそ、ビジョナルの競争力の源泉だと指摘する声は少なくない。

実際、採用は南にとって経営の最優先事項の一つだ。

グループ１４００人規模の組織になった今でも、南は共に働く仲間を探すことを、自らに課している。ビズリーチを活用して自らスカウトメールを送り、週に何度も候補者と会うことを続けている。自身の人脈をフル活用し、絶えず候補者リストを更新し、連絡を取り続けてもいる。こうした地道な活動を積み重ねた結果が、現在のビジョナルやビズリーチを支える幹部たちだ。

「多くは、国内外の様々な企業で活躍してきた同世代のリーダーたち。これらの顔ぶれが、ビジョナルに入ってくれたことが、自分の最大の成果」と南は満足げだ。

採用の大切さを認識していても、経営者の多くは自分から先頭に立ってそれを実践したりはしない。

1000人超の会社のトップで、今も日常的に人材採用の時間を優先して確保する人は、ほとんどいないのではないだろうか。

「実際、人を誘うのはプレッシャーのかかる仕事だ。その人の人生を背負う覚悟が必要だし、自分の信頼をかけてもいる。時には自分じゃなくてもいいのではないかと思うこともある」

それでもなぜ、南は採用に時間を割くのか。それは、優秀な人材が企業にもたらす計り知れないメリットを実感しているからだ。

「経営人材を一人採用できると、事業や組織が飛躍的に成長する。自分よりも優秀だと思う人を会社に迎え入れることが成長への近道。そうした人材を見つけて招き入れることが、経営者の一番の仕事だと思っている」

実際、これまでのビジョナルの成長も、南らが採用した人材が事業を牽引してきた。それが、「事業と人はセット」と繰り返すゆえんだ。

社員が会社を選ぶ時代に

理由はそれだけではない。南は、これからの働き方の変化に対してこう断言する。

「これから先は、会社が社員を選ぶのではなく、社員が会社を選ぶようになる」

これまでの働き方では、社員は会社と契約し、会社の方針に従って仕事を進めていった。いわゆるメンバーシップ型雇用が定着している日本では、自分自身のキャリア形成も、会社に預けてしまうケースが一般的だ。社員は会社の指示に従って業務を遂行し、人事異動を続けていれば、それなりに仕事人生を謳歌することができた。

ところが、この10年で環境は大きく変わった。

技術の進化や競争環境の変化があまりにも早く、多くの企業が従来の事業だけではこの先の成長を描けなくなりつつある。突然、事業が売却されたり、会社が方針を転換したりして、全く違う事業に従事せざるを得ないことも、そこかしこで起こっている。社員のキャリア形成も、前例踏襲で進めることはもはや不可能だ。

こうした企業側の行き詰まりを、社員も敏感に察知している。

会社に自分のキャリアを任せられなくなる以上、自分で自分のキャリアを築こうという動きはこれから急速に広がるだろう。主体的に自分のやりたい仕事を見いだそうという優秀な人間ほど、自分のキャリアを描けない会社からは流出していく。

相手の意志を受け止める

南の見立てでは、こうした変化に対応するために、企業は二つの方策を取る必要がある。

一つは、採用の段階で求職者と意思をしっかりとすり合わせること。相手が人生において何を実現したいのかを把握し、互いの意志や希望、目標が本当に一致するのかを納得するまで語り合う必要がある。必要であれば何回も会い、何時間でも過ごして、その人の本質を知る努力を続ける。

「だから、面談では自分も素っ裸になる。過剰に自社を良く見せようとプレゼンテーションしたり、社内の実態と外れたことばかり並べて入社してもらっても、結局は化けの皮がはがれてしまう。そのときに崩れた信頼関係は取り戻せない」と南は言う。

もう一つは、会社が常に変わり続けることだ。

会社が選ばれるには、なぜその人がこの会社で働きたいのかを知り、それを実現できる舞台を準備しておかなくてはならない。

例えば経営人材を採用しようとしても、社内に事業の経営ができるようなポジションがなければ、そもそも入社さえ検討してもらえない。その人が活躍できる最適なポジションを準備できるかが、採用力に直結する。これこそが、グループ経営体制に移行した一つの理由でもある。

もちろん、この条件を満たしても、優秀な経営人材に選ばれる会社になるとは限らない。

「これが新しい時代の採用の難しさ。今の時代、仕事に対する価値観の多様化はさらに進んでいる。だからこそ、何人もの人に会って、色々な思いを聞き続ける必要がある。一緒に働きたいと思う人がいれば、何年かけても追いかける覚悟が必要だ」と南は説明する。

価値を高める「場」を用意する

究極的に人に選ばれる会社になるには、どれだけ個人の市場価値を高める機会を提供できるかにかかっている。ビズリーチを通して10年以上、人材業界を見てきた結論でもある。

南によると、成長する会社と停滞する会社には、決定的な3つの違いがあるという。

一つは、変化への柔軟性だ。

競争環境が激しく変わる中で、その瞬間瞬間に機動力を持って自律的に動けたり、変化に合わせて自社を再定義できたりと、自ら変わり続ける能力を持つことが、会社の成長の大切な要素となる。

反対に、会社が機動力をもって変われる組織でない限り、働いている人にその力が身に着かない。どんな状況でも自ら変化して、活躍できる人材にはなれないのだ。「そこで働いても自分の市場価値が上がらないと気づけば、社員はその会社からどんどん辞めていく」と南は予測する。

二つ目は生産性の高さ。言い換えればそれは、働いた時間ではなく、成果を重視して会社が社員を評価できるかということだ。個人が自分に投資する時間を会社が奪わないということでもある。「急速に変化する時代には、会社が提供できる学びには限界がある。仕事中は仕事から学び、仕事以外の時間も自分に投資するという概念を持たなくてはならない。時間と成果の概念を理解しておくことは、選ばれる会社であるためにはとても重要なことだ」と南は考える。

最後は、会社に明確な理念があることだ。自分たちの会社が何のために存在しているのか。社会にどんな価値を提供するのか。

「人が会社を選ぶということは、本質的にはその会社の理念に共感することに等しい。優秀な人ほど、その理念を実現しようという思いで会社に加わるようになる」と南は説明する。

特に、理念の定義は企業の規模が大きくなるにつれて重要性を増していく。

それに気づくきっかけを南に与えたのが、経営の大先輩であるカルチュア・コンビニエンス・クラブ創業者の増田宗昭だった。

ビズリーチを創業して数年経った2012年ごろのこと。南は、友人と共に増田の自宅に招かれて食事をしていた。

その途中、増田はおもむろに割り箸の紙に走り書きをした。そして、それを南に見せて「これが大事だ」と言った。

そこには、1、3、1、3、1、3、1、と書かれてある。そこにゼロを加え、1、3、10、30、100、300、1000と書き換えていった。

「いいか、組織は1と3を超えるときに必ず壁がある。組織の階層が増えるタイミングは往々にして何かしらの問題が起きるから、特に気をつけろ」

当時はまだ組織が小さかったこともあり、「何のことかピンとこなかった」と言う南だったが、その後、会社の成長と共に増田の指摘が本質を突いたものであることを思い知る。

次々と社員が辞めたワケ

時は進んで2014年、社員が300人目前に迫っている時期だった。

創業メンバーの佐藤和男は、久々に足を踏み入れたビズリーチのオフィスを見て、驚いた。佐藤はそれまで、ビズリーチの海外事業であるRegionUP（リージョン・アップ）を支援するため、1年半、シンガポールに駐在していた。

「何とも言えない、ピリピリした空気が漂っていた」

かつて佐藤が知っていたビズリーチは、文化祭の前日のような、仲間が一緒になって盛り上がって何かを実現する雰囲気が漂っていた。しかし、そうした様子が微塵も感じられなかったのだ。「誰かを助ける余裕がない。誰もが目の前のこと、自分のことに必死な様子だった」と佐藤は振り返る。

調べてみると、社員の離職率はかつてないほど上昇しており、幹部もその引き留めに奔走しているとのことだった。

帰国後、人材・組織開発部門の責任者となった佐藤が、当時ビズリーチ事業を統括していた多田洋祐に現状を問うと、離職率の高さは認識しているという。会話を重ねるうちに離職の理由も分かってきた。

一つは、採用ターゲットを広げたことにあった。

当時はちょうど、多田が営業組織を抜本的につくり直す作業の真っ最中だった。前工程と後工程というチームをつくり、営業の担当を振り分け、組織的に営業を動かす仕組みをつくり上げていた。それに伴って猛烈な勢いで採用を進めていたため、成長スピードに人員補充が追いつかず、やむなく採用ターゲットを広げていた。その結果、ビズリーチの事業方針や価値観を理解しない人が入社していた。

採用後、入社した社員をフォローする仕組みもなく、出社初日から配属された部署で、何も指示されずに放置される人が続出するといった事態が起きていた。

事業自体は成長していたが、その裏にあるこうした状況を放置すれば、いつかは組織は崩壊する。成長を優先するあまり、組織を活性化する手を打っていない。こんな状況では、せっかく人を採用しても、うまく会社になじめず、すぐに辞める悪循環は止まらない。

ビズリーチの存在意義を示す

事態を深刻に捉えた佐藤は、会社の文化を抜本的に見直す必要性を痛感した。

当時、別プロジェクトとして、竹内真と永田信が中心になって進めていた人事制度改定に合わせて、「ミッション」「バリュー」「クレド」からなる、「ビズリーチ・ウェイ」を再定義することにした。

狙いは、会社の存在意義や目指す方向を明確にして社員に浸透させること。社員に共通の物差しを持ってもらうことにあった。

「ミッションは、自分たちの存在意義が何かということ。バリューは、大切にする価値観、すなわち採用基準。クレドは行動指針、すなわち意思決定に迷ったときに依って立つ判断基準。これらを再定義することで社員の目指すべき方向を統一した」と佐藤は言う。

当時のミッション、バリュー、クレドは、次のように定めた。

ミッション：インターネットの力で、世の中の選択肢と可能性を広げていく

バリュー　：Work Hard, Play SUPER Hard
　　　　　　価値あることを、正しくやろう
　　　　　　全員が創業メンバー

クレド　　：できる理由からはじめよう
　　　　　　お客様の感動にコミットしよう
　　　　　　逆算→突破→展開→仕組化
　　　　　　巻き込み、巻き込まれよう
　　　　　　マッハＧｏ！Ｇｏ！
　　　　　　最高の仲間と歴史を創ろう

顧客の課題解消を通じて事業を成長させることは変わらないが、同時にビズリーチ・ウェイを人事評価制度とひも付けることで、会社の方針と社員の価値観を合わせることにした。例えば、「巻き込み、巻き込まれよう」というクレドに沿って評価した場合、他者やチームのために貢献するという行動がなければ、高い評価が得られない。個人の頑張りが常に会社の方針と一致するように制度を改めたのである。

採用においても、ビズリーチのミッションとバリューに賛同できることを重視することにした。すると、入社後のミスマッチは著しく減っていった。

どんなに優秀な人材でも、ビズリーチのバリューに同意できなければ、入社は断る。「その方が、結果的に入社後、生き生きと働いてもらえることを理解した」と南は言う。ビズリーチ・ウェイと人事評価を結び付けたことで、社内の雰囲気は徐々に改善され、離職者数も少しずつ減ってきた。

現在、ビズリーチ・ウェイは、ビジョナルの発足を機に更新され、ビジョナル・ウェイとして、グループミッションと5つのバリューに集約されている。

グループミッション：新しい可能性を、次々と。
バリュー：価値あることを、正しくやろう
変わり続けるために、学び続ける
お客様の本質的課題解決

その行動で、ブレイクスルー
事業づくりは、仲間づくり

働きがいを可視化

組織の壁を乗り越えていく上で、もう一つ佐藤が取り組んだのが、社員の満足度を可視化する仕組みづくりだった。

広告の効果や営業の進捗など、ビジネスの成果については徹底して可視化させていたが、社内の働き方についてはほとんど測定していなかった。

社員は職場の何に満足していて、何に不満を抱いているのか。不満がある場合は、どんな改善の余地があるのか。組織が小さいうちは、そうした声は自然と経営陣にも届いた。だが組織が300人近くになり、次第に届かなくなっていった。

この状況を変えるために佐藤が発案したのが、「働きがいのある会社ランキング」への応募だった。同ランキングは、米国のグレート・プレイス・トゥ・ワーク・インスティテュート(GPTW)が始めた調査の仕組みで、応募した会社には社員に匿名のアンケート状が送られる。5つの項目に沿って回答を記入し、それらを集計していくと会社の「働きがい」が測定される。

このランキングは上位に入るとメディアに大きく取り上げられることから人気を博してい

たが、佐藤は何よりもまず、調査によって社員の満足度を客観的に把握したいと考えていた。

２０１５年に最初の調査を実施し、送られてきた結果に経営陣は衝撃を受けた。

「労働時間や健康管理などのスコアがとにかく悪かった。長時間残業、社員の健康管理など、それまで何となく気になっていたことが全部、数字で表れた」と佐藤は言う。

佐藤がこの結果を報告すると、南らはすぐに対策を打つと宣言した。残業時間の削減を掲げ、南が旗振り役となって改革した。

「ビズリーチの営業が強くなったのは、多田がしっかりとした指標を導入したから。組織を強くするには、同じように強さを測定する指標が必要になる。例えば、社員の不満の中でも何を改善するべきかは、数字で客観的に認識していった。絶対に変えようという覚悟で施策を打っていった」と佐藤は振り返る。

「働きがい」の調査結果からはさらに興味深いことも分かった。それが、「自分の仕事が認められていない」と感じている社員が少なくないというものだった。

佐藤が調べていくと、その原因は上司との信頼関係や結びつきの弱さにあった。

そこで当時、注目を集めていた上司と部下が1対1で話す「１on１（ワン・オン・ワン）」の取り組みを強化することに決めた。

「調査結果を見せて、社内には今、こんな課題があると言うと、南も納得してすぐに手を打ってくれた」と佐藤は言う。

「事業が成長し続けるには、結局、社員がどれだけ生き生きと働いていられるかが大事になる。会社の方向と社員の価値を高める方向を一致させるような働き方の仕組みをつくれたのは、早い段階からミッションとバリューを定め、それに沿って企業文化をつくってきたから」と南は言う。

2020年、ビズリーチはこの働きがいランキングで、過去最高の12位を記録した（従業員数1000人以上の大企業部門）。

好奇心こそ競争力

ビジョナルにとって最大の競争力は何か。そう聞くと、南はこう答える。

「世の中に興味を持って、おもしろそうなものには何でも頭を突っ込んでみる好奇心。新しいビジネスをつくる上で不可欠な要素になる」

これまで会社の競争力といえば、優れた技術や資本力を指していた。だが、これからの社会では個人の根源的な思いや好奇心がより重要な要素になるというのが、南の見立てだ。

「そうでなければ、ビズリーチだってビジョナルになっていないし、こんなに事業の幅が広がっていかなかった。戦略的に考えれば、人材領域の事業を集中的に展開した方が正解なのかもしれない。でも、僕らはそれでは満足できない。好奇心を持って新しい事業づくりに挑むことこそ僕らの存在意義であり、社会にインパクトを与えるカギだと信じている」

南には、強く印象に残っている言葉がある。

「100年続く会社になるよりも、100回変わる会社になる」

これは、ビズリーチの創業10周年を機に、Zホールディングス社長の川邊健太郎と対談した際に聞いた台詞だった。

100年続いている会社は、もちろん素晴らしい。ただ、会社を大きく成長させたいなら、社会の変化に合わせて変化し続ける必要がある。変化の激しい時代には、同じ事業を100年続けることよりも、変化に合わせて100回変わることを意識すること。100回変わる覚悟で変化に挑んでいけば、結果的に100年続く会社になっている——。

会社も、事業も、自分も、変わっていく。

そんな環境を提供し続けることが社員への一番の価値である。だからこそ、南も新しい事業をつくり続けなくてはいけない。

「我々は、ようやくスタートラインに立ったばかり」

株式上場直前のライブ中継で、南が全社員に向けて発した言葉だ。

「僕はこれっぽっちも満足していない。創業から10年以上が経ったけれど、日本の働き方はまだ変わっていないのだから。それでも、かつて思い描いた世界が少しずつ理解されるようになってきた。だからこそ、ここが本当のスタート。過去を振り返っている時間はない」

南にとっては、たかだか10年。

「ビズリーチの事業を通じて、ようやく日本の雇用を流動化させる入り口に立てた。HRMOS（ハーモス）だって、人事の世界にインパクトを与えるにはこの先何年もかかるだろう。ビジョナルでやりたいことも、もっとある」

何よりも、南には常に先を走る偉大なベンチマークの存在がある。楽天グループ代表、三木谷浩史だ。

「三木谷さんの背中を見て育ったので、彼が一つのロールモデル。ビジョナルも、かつて僕が楽天イーグルスに参画したころの楽天の社員数と同じくらいの規模になった。少しは満足したいけれど、楽天は今も変わり続け、成長を続けている。その姿を見ると、やっぱり僕もまだ満足はできない」

変わり続け、学び続ける

働き方の価値観は、この10年で大きく変わった。これからの10年で、さらに大きく変わっていくだろう。特に今の20代、30代には、新卒で入社した会社で一生勤め上げるという発想がない。より主体的に自分のキャリアをつくる考え方は確実に広がりつつある。

社会の価値観が入れ替わるには、やはり30年はかかる。それでも確実に言えるのは、変化の流れは止まらないということだ。誰もが自分のキャリアや価値観と向き合わざるを得なくなり、この傾向はさらに加速していくだろう。

流れを先取りするか、それに逆らうのか。どちらを選択するかで、人々の働き方は大きく変わる。個人の働き方に正解はない。むしろ一人ひとりの価値観が問われる時代になっていくはずだ。

変化は、従来のやり方に慣れた人や既得権益を持つ人にとっては、不安や苦しみ、ストレスをもたらす。

しかし、見方を変えれば、それはビジネスパーソンとしてワクワクすることでもある。

「過去の仕組みが圧倒的な速度で通用しなくなる時代。誰も未来は予測できない。だからこそおもしろい。チャンスだらけだ」

南はこう言って視線を上げた。変化に目を凝らし、新しい問いや切り口を見つけ出す努力を続けること。それが、次の10年を生きる条件になる。

目下、南には一つの楽しみな夢がある。

社員の子どもに、海外留学する機会をつくるという個人プロジェクトだ。

「父親が海外駐在をしていたことで、ほかの日本人とは異なる環境で育った。それが結果的に、人生に大きな影響を与えてくれた。だから今度は、自分が社員の子どもたちにそんな機会をプレゼントしたい。奨学金制度をつくり、社員のすべての子どもたちが学生時代にひと夏、海外のサマーキャンプに行く機会をつくりたい。多様な価値観に触れると、きっと見える世界が大きく変わるはずだから」

人と少しでも違う視点を持つことが、新しい問いを立て、生き方を変える機会になる。

そんなチャンスを増やして、未来をつくる次の世代に自分なりの方法でバトンを渡すこと。

南は30年後、数千人の子どもたちが世の中をどう変えているのかを、会社をつくった仲間たちで見ることを、人生後半の楽しみにしているという。

同質化は一番のリスク。

これからも、変わり続け、学び続ける。

新しい価値は、問いを立て、やり抜くことからしか生まれない。

南は今日も、それを背中で見せている。

◆　◆　◆

英ロンドン中心部から電車で北に1時間ほど揺られると、世界有数の学園都市として知られるケンブリッジの広大な土地が見えてくる。この一角に、2021年6月、小さな酒蔵が誕生した。

製造しているのは「Sparkling Sake（スパークリングサケ）」という名の発泡日本酒だ。

シャンパンを筆頭に、欧州には発泡酒だけを製造する酒蔵が豊富にある。一方で、日本には発泡酒専業の酒蔵は存在しない。厳しい規制によって、現在の日本では日本酒をつくる免許を新しく取得することが極めて難しいからだ。その意味で、スパークリングサケは世界初の発泡日本酒専門の醸造所になる。

この新しい事業に挑むのは、豊田直紀。ビズリーチの創業期に学生インターンとして参加し、その後ビズリーチに入社して同社を支えてきた〝卒業生〟だ。

「ビズリーチで働いているうちに、いつか自分でも起業したいと考えるようになった」と豊田は言う。「世界にはシャンパンをはじめ、発泡酒に情熱を注ぐつくり手がたくさんいるのに、なぜ日本酒業界には発泡酒だけにすべての情熱をかけるつくり手がいないんだろう」と疑問を感じたことがきっかけだった。

ビジョナルの成長と共に、会社を飛び出して様々な業界で挑戦するＯＢやＯＧは着実に増えている。

本書の執筆にあたっては、ビジョナルを退職した社員にも話を聞いた。辞めたからこそ見える会社の姿を知りたいという目的もあったが、それ以上に関心があったのが、彼ら・彼女らが、ビジョナルで「自分の価値を高められた」と感じているのかということだった。

南が「今後の選ばれる会社」として挙げる条件をビジョナルは果たして満たしているのか。

結論から言えば、取材に応じてくれた15人近い卒業生は一様に、自分の価値を高められたと語ってくれた。もちろん、筆者が出会った範囲における結果なので、成長を感じられずに辞めた人もいるだろう。たった15人程度の証言で、ビジョナルが社員の市場価値を高められる会社であると断言するつもりは、毛頭ない。

ただ、個人的に興味深かったのは、成長を感じられた人たちが語ったその中身だ。

多くの人が、自分の意識が変わったことを成長した点に挙げた。それは決して、事業計画や経営指標といったテクニカルなスキルが習得できたということではない。「『ここまでやっていいんだ』『こんなふうに世間の常識を疑うんだ』『物事の本質を見極めて、できる理由を考えよう』というマインドセットの部分が一番の学び」と豊田が語るように、行動や考え方に大きな影響を受けたと語る人が多かったのだ。

人間の意識を内面と外面に分けると、ビジネス書や経営書の多くは、「外の世界」を正確に理解するための指南書となることをテーマとしている。会社の競争環境、財務、組織など、外から状況を分析し、それに対してどう手を打つかを思考することに論点を置く。

一方、経営の意思決定に大切なのは、決して外面の分析から得た情報だけではない。

事業をつくり、組織を動かして経営するには、実は「自分の内面」を正しく理解することが不可欠になる。南がビジョナルの成長の過程で、自分のやりたいことは何かと苦悶し、熟慮の末に見つけ出したように、真の意思決定は、自分の深いところを理解することで下せる。

リーダーが自分自身の内面と向き合う重要性は、世界的にも認知されている。

海外では、「エモーショナル・インテリジェンス（EQ）」や「セルフ・アウエアネス（自己認識）」といった言葉で語られているが、南自身がこうした概念の重要性を直感的に理解していたのは、とても興味深い。

自分を深く理解できるようになると、他者とのコミュニケーションも破綻しなくなる。たとえ仲間と意見が割れても決定的な亀裂には至らない。自分が間違っていたことを認められるからだ。

「多くのリーダーは、プライドが邪魔して『自分はできない』とは言えない。しかし、南はあっさりと『俺には無理』と言う」

ビジョナル社長室室長の田中潤二は、南をこう表現する。これは、南の自己認識力の高さゆえだろう。

自分の強さ、弱さ、好みなどを客観的に理解し、自分は何者かを理解した上で日々の意思決定をしていくこと。これこそ、これからのリーダーに求められる重要な能力である。

2021年4月22日、東証マザーズに株式上場をしたばかりのビジョナルは、世間から大きな関心と期待を寄せられている。

彼らはまだ、スタートラインに立ったばかりの若い企業である。

突き抜けるまで問い続けること。そして変わり続けること——。

これを実践するには、ビジョナルを支える一人ひとりが、外的なスキルだけでなく、内的な人間の器を広げ、学び続ける必要がある。

時には厳しい挫折を味わうこともあるだろう。

それでも南たちは、泥くさく、しつこく、明るく、あきらめずに挑戦を続けるはずだ。

ビジョナルを起こした南壮一郎と、それを支えた仲間たちの奮闘。その姿は私たちに、先の見えないこれからの世界をどう生きるべきかというヒントを与えてくれる。

さあ、あなたは、どんな問いを立てるだろうか。

解◉説

問いを立てる力

小林りん
学校法人ユナイテッド・ワールド・カレッジＩＳＡＫジャパン代表理事

「問いを立てる力」とは何か。

それは、「自分は何者か」を理解する力である。

あなたには、想像するだけでじっとしていられないほどワクワクすることがあるだろうか。あるいは考えるだけで眠れなくなるほど憤りを覚えることはあるだろうか。時間を忘れて夢中になり、没頭するものはあるだろうか。

喜び、怒り、哀しみ、楽しみ――。

物事を突き動かすのは、実はロジックではなく、自分の内に秘めた感情だ。

その思いを認識し、あふれ出てくる感情の裏に潜む自分の意志を自覚することこそ、私の考える「問いを立てる力」の本質である。言い換えれば、「自分が心からやりたいと思えることが何かを知っているか」ということだ。

私の友人であり、本書の主人公である南壮一郎くん（私はいつも彼の英語のミドルネームであるスイミーと呼んでいる）もまた、問いの本質を本能的に理解し、卓抜した課題発見力を自然体で身にまとう同志である。

「問いを立てる」と言うと、一般には世の中に起きている課題を見つけ出す方法論だと解釈されることが少なくない。

今後の社会の流れはどうなるか。産業構造はどう変わるか。時代の先を読み、想定される課題を特定する技術としての問いである。

このアプローチを「外向きの問い」と呼ぶことにしよう。

現代の企業の多くが社員に求めるのは「外向きの問い」を立てる力だ。ＭＢＡ（経営学修士）のプログラムをはじめ、多くの経営戦略の基本は「外向きの問い」を目的としていることが多い。

確かに、全体を俯瞰して課題を絞り込む力は大切だ。しかし、この力を鍛えるだけでは、自分が本当に取り組むべき課題に辿り着くことは難しい。心からやりたいと思える挑戦かどうか、気づくことができないからだ。

自分が本当に取り組むべき課題。

それは冒頭に示したように、内省を重ねて導き出した「内なる問い」と「外向きの問い」との接点に、湧き水のようにあふれ出すものだと感じている。二つの「問い」の答えがぴたりと一致したとき、人は大きな山を動かす力を獲得するのではないか、と。

胸に抱いた憤りが原動力に

かくいう私も、2009年に長野県軽井沢市で学校法人ユナイテッド・ワールド・カレッジISAKジャパンという全寮制の国際高校を創立したのは、「内なる問い」と「外向きの問い」が自分の中でつながったからにほかならない。

高校時代、日本の教育に疑問を持った私は、通っていた高校を中退し、奨学金でカナダの全寮制高校に留学した。そこで出会ったメキシコ人の友人の実家を訪れて、衝撃を受けた。貧困、汚職、暴力と隣り合わせの生活。世界に厳然と存在する格差を目の当たりにした。

社会人になり、モルガン・スタンレー証券で金融の知識を身に着け、大学院留学や国際協力銀行を経て、国際連合児童基金（ユニセフ）で念願の仕事に就いた。フィリピンに赴任し、ストリートチルドレンの教育支援に携わった。

しかし、格差の根本解決にユニセフでできることには限界があるかに思えた。社会の仕組みを変えるには、より抜本的な対処が必要だと痛感した。そしてその実現には、社会を変革するリーダーが必要だと。既往路線を踏襲しない、チェンジメーカーを育てる教育の重要性を認識するようになった。2007年ごろのことだ。

日本でも、社会を変えるリーダーの重要性が叫ばれていた。かつての経済成長を支えたシステムがあちこちで制度疲労を起こし、地盤沈下が止まらない。打ち手として「人づくり」の重要性を叫ぶ人、「教育改革待ったなし」と論じる批評家は多かったが、具体的な解決策を示せている指導者は見当たらなかった。

そんな最中、スイミーと私の共通の友人から紹介されて出会ったのが、共同創立者となる谷家衛氏だった。

「必要な変革が次々に生まれる社会の実現に、教育を通じて貢献したい」という私の「内なる問い」と、「教育改革の必要性が叫ばれるようになって久しいものの、担い手が不足している」という「外向きの問い」が一致した。この瞬間、軽井沢に次世代リーダーを育てる全く新しい学校を創立するプロジェクトが始まった。


スイミーもまた、「内なる問い」と「外向きの問い」を意識しながら、やりたい仕事をいつも追い続けてきたのではないかと思う。同じ職場で働いたモルガン・スタンレー時代から数えると、20年以上の付き合いになる。

「僕、スイミーです。よろしく!」

初対面から新卒らしからぬ大きな態度で周囲を驚かせた記憶は、今も鮮明だ。

配属された部署は違ったが、同じプロジェクトで朝から晩までよく働いた。米国が目覚める前に徹夜で資料を仕上げ、明け方のオフィスで、寝ぼけまなこのままカップラーメンをすすったのもいい思い出だ。多忙を極める中でも、仲間と一緒に異業種交流会を主催したりして、よく飲み歩いていた。

スポーツビジネスに並々ならぬ興味を持っていて、2年でモルガン・スタンレーを辞めた後、別の金融法人に身を置きながら、米国のメジャーリーグ球団に手紙を書いて就職を直談判したという話を聞いたときは、彼らしい行動力だと感心した。

それが叶わなかった後も夢をあきらめず、楽天イーグルスの創業メンバーに名を連ねた。立ち上げに目処が立つと、自ら転職先を探した経験を踏まえて、採用する企業側ではなく、転職する個人側をメインクライアントに据えたビズリーチを創業した。会社はみるみる成長し、創業から12年で社員は１４００人規模になった。

その間も次々と新事業を立ち上げ、２０２１年春には株式を上場し、今も新しい事業を仕込んでいるという。現状に満足せず、「自分の好きなときに、好きな仲間と、好きなことをしたい」という彼の生き方は、まさに「問いを立てる力」を地で行く人生そのものだと思う。

なぜ、問いが大切なのか

彼の問いを立てる力については本書に譲るが、ここではなぜ今、問いを立てる力が大切なのかについて少し述べたい。

日本の教育は長らく、問題を解く力が大切だという考えが支配的だった。人から与えられた問題、あるいは既にある問題をいかに早く、正確に解くか。スピードと正確性に優れた人が優秀だと規定してきた。

実際、経済が成長する局面では課題解決能力の高い人が活躍するのは理に適っていた。組織が成長する過程では、課題が次々に生まれてくる。それを遅滞なく、的確に解ける人は貴重であり、厚遇もされた。あらゆる組織において、与えられた課題を解く能力の高い人が評価され、出世した時代であったように思う。

ところが、この20年で時代は大きく変わった。

少子高齢化、技術の進化、市場の成熟といった様々な要因によって、これまでと同じように与えられた課題を解くだけでは、正解に辿り着けなくなってしまったのだ。

例えば、自動車メーカー。従来なら「安全で燃費の良いクルマをできるだけ効率的に大量に生産するにはどうすればいいのか」という明確な問いがあり、社員が一丸となって、その答えを探すことが会社の使命だった。

ところが、今は状況がまるで違う。

気候変動をはじめとした環境保護の観点が重視され始めると、ガソリンに代わる燃料を模索せざるを得ず、水素なのか、電気なのか、そこには明確な答えがまだ出ていない。はたまたインターネットやＡＩ（人工知能）といった情報技術の急速な発展に伴い、コネクテッドカーが注目を浴び始めると、テクノロジー系の会社が自動車製造に参入し始めてきた。これまでとは全く異なる次元の課題に向き合わざるを得なくなっている。

これらの問いには正解がない。そして、そもそも解かれるべき問題は何なのかさえ、時代の変化のスピードと共に見極めることが難しくなってきている。

唯一できるのは、次々と仮説を立てて試していくことだけだ。失敗することもあるかもしれない。しかし、かつて松下幸之助氏が言ったように、「成功する人は、あきらめない人」なのだとすれば、そして、あきらめるまで自分を奮い立たせるものが「内なる問い」なのだとすれば――。やはり、「内なる問い」と「外向きの問い」が一致している必要がある。

同じことは、企業だけでなく個人にも言える。

「次はこれを解いて。その次はこれ」といった具合に、これまでの社会や組織では基本的に、問題は誰かから与えられることが前提だったように思う。

だが今の時代は、社会や組織を率いている人でさえ、次にどのような問題を解けばいいのか分からなくなっている。右肩上がりの成長路線だった時代とは異なり、既往路線を踏襲した先には未来がないからだ。年齢や経験を重ねていることが、時代の先を読む際に邪魔をすることもある。個人も「今、どんな問いを解くべきか」を考え、「どんな問いを解きたいか」を自らに問い、提案し行動する姿勢が求められる。

変化は早く、ドラスティックだ。

次にどんな問題を解くべきなのか、常に先を読んで動き続けなくてはならない。だからこそ、自分で主体的に動き、自律的に問いを立てる力が、ますます大事になってくる。

見方を変えれば、この力を養い個の力を鍛えれば、成長する機会は次々と巡ってくる。

ソーシャル・ネットワークなどが発達する現代社会では、会社や組織といった既存の枠組みを超えて急速に個が有機的につながり始めている。組織から個人へのパワーシフトは進んでいく。問いを立てる力を持つ個人とそうでない人では、成長に大きな差が生まれていく。

だからこそ、問いを立てる力はこれからの時代を生きるビジネスパーソンにとって、誰もが備えるべき必須の素養になると私は考えている。

生み出すのではなく、解き放つ

こんな話をすると、決まって受ける質問がある。

「私には、問いを立てる力などない」「自分がやりたいことが分からない」——。

問いとは、決して新しく生み出すものではない。自分の中に既に存在するものだ。

小学生や幼児のころを思い出してほしい。

あなたが、何時間も熱中し続けていられることはなかっただろうか。

人間には誰しも、心の底から好きなものが存在する。しかし、中学、高校、大学と教育を受ける過程で、多くの人は大好きなことを考える時間がなくなり、自分が好きだと思っていたことも忘れてしまう。

だから、私はいつも「それが何だったか、思い出してごらん」と助言している。

私とスイミーの共通点は、もしかしたら互いにこのワクワクやドキドキを忘れていないことかもしれない。

誰しも本来、そのことを考え出したら楽しくて仕方ないような好きなことが、あるいは夜も眠れないほど憤りを感じる社会課題が、あるはずなのだ。それをいかに思い出し、自分の力を解き放てるかがカギになる。

もう一つ、問いを立てる力に大切な要素がある。それは、問いには必ず行動が伴うということだ。

私もスイミーも20代は転職回数が多かった。何も知らない人が見れば「大丈夫?」と心配するほどに多いのだ。だが、それは私に言わせれば自分なりの問いの立て方の表れでもある。問いは、ただ頭の中で考えを巡らしているだけでは何も変わらない。「こっちかな」「あっちかな」と絶えず行動し、壁にぶつかり、「ありやりや」と反省して方向転換をする。そんな試行錯誤を繰り返しながら、本当にやりたいことを見つけてきた気がする。

スイミーも、自分が起こした行動をきっかけに、楽天イーグルスの創業メンバーの座を掴み取った。起業後も自分で考えて行動し、自分の仮説を形にしながらチャンスを獲得していった。

頭の中の考察は、問いを立てるプロセスの一部に過ぎない。チャンスは、常に行動から生まれる。どうにもならないと思っているときも、勇気を持って一歩踏み出した途端に、全く違った風景が広がることがある。

個人的には、日本でも若いうちからもう少し気軽に転職ができて、自分の立てた問いに行動を起こせる社会を育んでいくべきだと思う。

その意味で、スイミーが日本でそれを促すような転職サービスを提供しているのはとても興味深いし、運命的なものを感じる。

もちろん、全員が気軽に何度も転職すべきだという話ではない。転職せずとも、工夫次第では、今いる組織の中で十分に変化を起こせる。ましてや現代の社会では、兼業や副業といった選択肢も一般的になりつつある。大切なのは、自分の意識次第で変化はいくらでも起こせるという事実を理解することだ。

私自身、現在は日々の学校運営を校長以下の現場に任せて、理事会の運営と経営に専念している。おかげで40代になってから、半年間のサバティカルを取って、海外の大学のフェローシップ制度に参加し、自分の人生を改めて考え直したり、帰国してからは次世代の教育や起業家を育てるプロジェクトを立ち上げたり、コロナ禍で国境が閉じられ学校経営が危機にさらされても、それを機に完全オンラインの教育プログラムをつくったりと、新しいことに挑戦できている。

問いを立て続けることは、そして立てた問いを解決するのは、決して一人ではできない。スイミーが言っているように、信頼する仲間を見つけ、背中を預けられるチームをつくり上げることもまた大切なのだ。

覚悟が決まれば、「絶対にあきらめない」

取り組む課題が大きいほど、壁に突き当たり、頓挫の危機に見舞われる可能性が高い。このとき、あきらめる人とあきらめない人を分けるのは「内なる問い」の存在にある。自分が心から解決したい課題なのか、そして覚悟があるかが問われる。

それに気づいたのは、ＩＳＡＫを立ち上げて3〜4年目の一番苦しい時期だった。あらゆる物事が計画通りに進まず、何度もプロジェクトが暗礁に乗り上げた。

そのたびに、地を這うような思いをして問題解消に奔走する。すると、苦境を見かねた周囲から決まってこんな声が上がってくる。

「苦労ばかりなのに、なぜ続けるんですか」

私自身、「なぜ自分はこれをやめないのか」と何度も考えた。

そのとき、いつも行き着いたのは「内なる問い」の存在だった。「私はこの事業をやるために生まれてきた」。紆余曲折の多かった自分の人生を振り返って、すべてはここにつながっていたのだと素直にそう感じ、自分が心からやりたいことだから、やり切ろうという覚悟を改めて思い出した。

だから、この事業を始めて以来、あきらめるという言葉は私の辞書にはない。むしろ厳しい局面ほど闘志が湧き起こってくる。恐らく、スイミーの生き方も似たようなものではないかと想像する。彼の考え方と行動は、私にとっては、問いを立てる力のお手本でもある。

現代は、社会構造が「内なる問い」の重要性に目を向けることを阻んでいる。多くの会社において出世したいと思ったら、自分と向き合い、自分の問いを持つことは、あまり役には立たない。

伝統的な日本の会社では、組織の中で失敗しないよう、上司の逆鱗《げきりん》に触れないよう、社内政治に迎合していくことが幸せにつながるというインセンティブ構造が、今なお根強く残っている。

しかし、昨今の日本の働き方改革について触れるまでもなく、こうした仕組みが主流となる時代は間もなく終わる。

果たして、あなたが本当にやりたいことは何だろうか。

あなたが、社会や会社に求めているものは何だろうか。

「内なる問い」と「外向きの問い」に向き合い、その問答の末に自分のやりたいことを見つけていく。

スイミーの生き方は、その重要性を理解する格好のケースになるだろう。

あとがき

取材を振り返り、改めて感じるのは、「自分を突き動かすものは何か」を知ることの重要性である。

それを南壮一郎氏は「好奇心」、小澤隆生氏は「仮説検証の欲求」、解説を依頼したユナイテッド・ワールド・カレッジＩＳＡＫジャパンの小林りん氏は「内なる問い」と表現した。何かを成し遂げようと突き進む人はみな、「自分がワクワクすること」を知っている。それを理解することが、「問いを立てる力」を育む最初の一歩になるのだろう。

翻って、筆者自身の内なる問いとは何だろうか。

一つ挙げるとするなら、それは「自分のつくったコンテンツで、誰かの背中を押してあげたい」という思いかもしれない。

前職では、雑誌やインターネット媒体の編集記者として、読者に活力を与える記事をつくりたいと常々考えていた。現在はソーシャルメディアの会社に移ったが、その意識は全く変わらない。つくり出したコンテンツで、読者にポジティブな影響を与えられたと知った瞬間が、最高にワクワクする。本書も、どこかで誰かに前向きな影響を与える一冊となれば、筆者にとってこれほどうれしいことはない。

本書を完成させるにあたって、南氏をはじめ、ビジョナルの関係者、そして南氏を知る方々には、忙しい合間をぬって、多大な時間を割いていただいた。改めて御礼申し上げる。

コロナ禍という前例のない環境ではあったが、ウェブ会議サービスなどを駆使しながら取材を続けられた経験は、これからの時代のコンテンツづくりを考える上でも、貴重な知見になった。

一連の取材をすべて調整し、諸々の事務手続きにご尽力いただいた、ビジョナル社長室グループコミュニケーショングループの北見友見氏、本田沙貴子氏にも、深く感謝したい。筆者の発案に快く応じてくれ、丁寧に編集を担当してくれたダイヤモンド社の日野なおみ氏は、筆者が安心して背中を預けられる戦友だ。喫茶店での雑談をあのとき、おもしろがってくれなければ、この本が世に出ることはなかった。

２０１３年11月にヤフーの組織改革を取材した『爆速経営 新生ヤフーの５００日』を出版した直後から、次はポストヤフー世代の経営者を描いてみたいという漠然とした思いがあった。

今回の取材を通じて改めて、南氏は次代をリードする経営者としてさらに注目されていくだろうという、強い印象を持った。本書を通じて、彼の経営の原理原則、そして問いを立て、考え抜くことの大切さが多くの人に伝わることを願う。

欲を言えば、本書で描いたビジョナルの考えと行動に触発されて、新しい事業づくりを志す若者が増えることを願っている。

楽天グループ代表の三木谷浩史氏のつくった楽天イーグルスによって、南氏が覚醒したように——。

2021年6月

蛯谷 敏

【参考文献】

『絶対ブレない「軸」のつくり方』南壮一郎（ダイヤモンド社、２０１０年）
『ともに戦える「仲間」のつくり方』南壮一郎（ダイヤモンド社、２０１３年）
『成功のコンセプト』三木谷浩史（幻冬舎文庫、２００９年）
『成功の法則 92ヶ条』三木谷浩史（幻冬舎文庫、２０１２年）
『楽天流』三木谷浩史（講談社、２０１４年）
『本質眼 楽天イーグルス、黒字化への軌跡』島田亨（アメーバブックス、２００６年）
『97敗、黒字。楽天イーグルスの一年』神田憲行（朝日新聞社、２００５年）
『両利きの経営「二兎を追う」戦略が未来を切り拓く』チャールズ・A・オライリー、マイケル・L・タッシュマン（東洋経済新報社、２０１９年）
『問いこそが答えだ！ 正しく問う力が仕事と人生の視界を開く』ハル・グレガーセン（光文社、２０２０年）
『問題発見力を鍛える』細谷功（講談社現代新書、２０２０年）
『ライト、ついてますか 問題発見の人間学』ドナルド・C・ゴース、ジェラルド・M・ワインバーグ（共立出版、１９８７年）

［著者］
蛯谷 敏（えびたに・さとし）
ビジネス・ノンフィクションライター／編集者

2000年日経BP入社。2006年から『日経ビジネス』の記者・編集者として活動。2012年に日経ビジネスDigital編集長、2014年に日経ビジネスロンドン支局長。2018年7月にリンクトイン入社。現在はマネージング・エディターとして、ビジネスSNS「LinkedIn」の日本市場におけるコンテンツ統括責任者を務める。これからの働き方、新しい仕事のつくり方、社会課題の解決などをテーマに取材を続けている。著書に『爆速経営 新生ヤフーの500日』（日経BP）。

突き抜けるまで問い続けろ
――巨大スタートアップ「ビジョナル」挫折と奮闘、成長の軌跡

2021年6月29日　第1刷発行
2024年8月23日　第6刷発行

著　者――蛯谷 敏
発行所――ダイヤモンド社
〒150-8409　東京都渋谷区神宮前6-12-17
https://www.diamond.co.jp/
電話／03･5778･7233（編集）　03･5778･7240（販売）

装丁・本文デザイン――トサカデザイン（戸倉 巌、小酒保子）
DTP――河野真次（SCARECROW）
校正――聚珍社
製作進行――ダイヤモンド・グラフィック社
印刷――信毎書籍印刷（本文）・新藤慶昌堂（カバー）
製本――ブックアート
編集担当――日野なおみ

ISBN 978-4-478-11307-3